THE FACTS ON THE OCCULT

John Ankerberg
& John Weldon

HARVEST HOUSE PUBLISHERS
Eugene, Oregon 97402

Cover by Terry Dugan Design, Minneapolis, Minnesota

THE FACTS ON THE OCCULT

Published by Harvest House Publishers
Eugene, Oregon 97402

ISBN 0-89081-883-5

Printed in the United States of America

01 02 03 04 05 06 07 08 / VP / 15 14 13 12 11 10 9

In memory of Arlis Perry, a young Christian bride, tortured and murdered by Satanists in the Stanford University Church, October 13, 1974, and for all innocent victims of the occult revival.

Once again that time of year has come wherein we are inundated with the dross of the Nazarene worshippers. One attitude that is constantly shoved down our throats, in addition to the phony cheer, is that this is a season for forgiveness and mercy. Here stands revealed one of the most insidious elements of the Christian creed.... Satanists reject mercy as a vile sham. The end times are here, the final days of the rule of the cross. The world will be swept by a wave of Satanic individuals who will stand forth to claim their birthright as humans, proud of their nature. Let those who are slaves grovel on their knees in the mud before the images of non-existent gods. The times demand the efforts of self-proclaimed Gods, who worship themselves and can produce results.... There will be room no longer for the coddling of vipers in our midst.... They shall be made to pay! The creed of the Nazarene, and his ilk, shall be trodden under cloven hooves! Which side shall hold your allegiance?

—Satanist Peter H. Gilmore
"Lex Talionis," *The Black Flame*
Christmas issue, Vol. 1, No. 3.

CONTENTS

Preface

Of the various hazards that people face in a lifetime, from a broken leg to a car accident, some of the most serious dangers arise from enemies that are invisible—bacteria, viruses, etc. The AIDS epidemic has recently given everyone a new appreciation for the power of invisible enemies. We rarely see these invisible invaders; we see only their effects, the ruin they leave in their wake. A virus "tricks" the cell into believing that it is a "good" entity, so the cell lets down its defenses and "accepts" the invader. Only when it is inside, is the virus discovered to be a Trojan Horse, an invading parasite which begins the process of destroying its host.

The occult revival in our land is a spiritual AIDS, an AIDS of the soul. In many ways occult activity is similar to an unperceived virus operating within the human organism: It may exist for some period without producing symptoms, or it may kill quickly. Whichever it does, it means certain death for those terminally infected and an uncertain and precarious existence for those who have the virus within them but are currently without symptoms. Apart from treatment, the occult will kill spiritually just as effectively as AIDS will kill physically. The only difference is that there is a cure for occult invovlement: repentance and faith in Jesus Christ (see Section IV).

What is incredible is not that millions of people have been harmed by occult activity but that the cultural myth continues to persist that the occult is either pure quackery, a harmless pastime, or a genuine spiritual quest. This myth is all the more amazing considering that psychics, occultists and former occultists, parapsychologists, psychic counselors, psychiatrists and psychologists, Eastern gurus, and theologians have issued stern warnings concerning the dangers of the occult: Our files contain over 100 pages of citations from such individuals.

Further, many people who do accept that dangers stem from the occult compound the problem by asserting that there is both a "dangerous" and a "safe" approach to the occult. These people feel that with sufficient caution and wisdom the occult may be pursued to great spiritual benefit.

Unfortunately, it appears that in nearly all forms of occult activity there is "something" in operation which binds a person to the occult, even when they wish to be rid of involvement. A person may find his or her environment or circumstances manipulated to prevent his or her abandoning psychic activity; he or she may become sick and suffer from disease, have accidents, become suicidal, or actually be threatened by spiritual powers and entities. Dr. Nandor Fodor, author of the authoritative *Encyclopedia of Psychical Science* observes that when spiritists and mediums attempt to suppress their activities or powers, the end result is illness and disease: "Curiously enough, mediumship, if suppressed, will manifest in symptoms of disease."[1]

Once the practices are accepted, the disease disappears. The famous psychic Edgar Cayce is one prominent illustration.[2] Former medium Raphael Gasson wrote of his own experiences:

> Many have suffered greatly because they started investigating into this thing [mediumism] and have eventually been brought to distraction when they have attempted to free themselves from it. Homes have been broken up, suicide and lunacy have afflicted those who were once in it, and have dared to seek deliverance from its power. Those who have found that deliverance can only give thanks to God for His grace and mercy.[3]

Former leading European witch, Doreen Irvine, sold her soul to Satan with her own blood. Although she was eventually delivered, having 47 demons exorcised over many months, she encountered suicidal urges, depression, discouragement, horrible nightmares, and psychic attacks. She acknowledges, "I was tormented day and night, with very little let up."[4]

Before her conversion, she recalled that her "heart was filled with hate for anything Christian," but she eventually became convinced that the only possible way of deliverance was through the power of Christ.[5] "Far from being harmless" she wrote,

> Witchcraft and other forms of the occult are harming, yes, wrecking and ruining lives today, to an alarming degree—driving men and women to suicide, mental hospitals, utter fear, and a living hell. If people saw only half of what I've seen, they would think again before writing it off as a harmless craze.[6]

In this booklet we will examine the influence, nature, phenomena, and consequences of the modern occult revival.

Section I

Introduction to the Occult

1. Why is the subject of the occult important and how influential is it?

In the last 30 years America has experienced a major revival of the occult. One of the great modern scholars on comparative religion and occultism, the late Mircea Eliade of the University of Chicago, observes in his *Occultism, Witchcraft and Cultural Fashions*:

> As a historian of religions, I cannot fail to be impressed by the amazing popularity of witchcraft in modern Western culture and its subcultures. However... the contemporary interest in witchcraft is only part and parcel of a larger trend, namely, the vogue of the occult and the esoteric....[7]

Eliade is not alone in his assessment. Seminal author and authority on occultism Colin Wilson comments in *The Occult: A History*, "It would probably be safe to say that there are now more witches in England and America than at any time since the Reformation."[8] C. A. Burland, a science and natural history writer with the British Museum for 40 years acknowledges that "at no time in the history of civilization has occultism and its various forms been so widely practiced as today."[9] Noted theologian Dr. Merrill Unger (Ph.D, Johns Hopkins University), the author of four books on the occult, confesses, "The scope and power of modern occultism staggers the imagination".[10]

In his *The Second Coming: Satanism in America*, acclaimed novelist Arthur Lyons discloses, "... satanic cults are presently flourishing in possibly every major city in the United States and Europe.... The United States probably harbors the fastest growing and most highly-organized body of satanists in the world."[11] Some details of this growing satanic network are revealed in award-winning investigative reporter Maury Terry's book, *The Ultimate Evil*. Terry warns:

> There is compelling evidence of the existence of a nationwide network of satanic cults, some aligned more closely than others. Some are purveying narcotics;

> others have branched into child pornography and violent sadomasochistic crime, including murder. I am concerned that the toll of innocent victims will steadily mount unless law enforcement officials recognize the threat and face it.[12]

Unfortunately, Satanism, witchcraft, santeria, voodoo, and other "hard core" forms of the occult are only the proverbial tip of the iceberg. If we were to consider the mediums, clairvoyants, psychics, channelers, spiritists, diviners, mystics, gurus, shamans, psychical researchers, Yogis, psychic and holistic healers, etc., only then would we have a better grasp of the actual size of the modern revival of the occult. UFO, near-death and past-life experiences; astral travel; astrology; mysticism; energy channeling; Yoga; psychic healing; Ouija boards; Tarot cards; contact with the dead; and a thousand other occultic practices dot the modern American landscape.

Not surprisingly, Gallup, Roper, and Greeley polls have indicated that tens of millions of people are interested in occult subjects or have had occult experiences.[13]

For example, recent University of Chicago national opinion poll revealed that 67 percent of Americans "now profess a belief in the supernatural," and that 42 percent "believe that they have been in contact with someone who died."[14] Profits from "channeled" (spirit-originated) seminars, tapes, and books alone range from $100 to $400 million a year and in the minds of some people, channeling may become "bigger than fundamentalism."[15] In his text *Channelling: Investigations on Receiving Information from Paranormal Sources*, New Age educator and psychologist Jon Klimo observes, "Cases of channelling have become pervasive."[16]

The late authority on cults and the occult, Dr. Walter Martin, estimated that over 100 million Americans were actively or peripherally involved in these areas.[17]

Occultists are amazed at the modern revival. The well-known novelist and UFO contactee Whitley Strieber (*Cat Magic*, *The Wolfen*) has authored several bestselling books on his UFO experiences (*Communion* and *Transformation*). These texts detail his occult contacts with alleged UFO entities—entities which bear striking resemblance to demons.*

---

* John Keel, a prominent authority on UFO's, confesses, "The UFO manifestations seem to be, by and large, merely minor variations of the age-old demonological phenomenon," and "the manifestations and occurrences described in [the literature of demonology] are similar, if not entirely identical, to the UFO phenomenon itself. Victims of [demon] possession suffer the very same medical and emotional symptoms as the UFO contactees."[18]

Nevertheless, Strieber has confessed that such UFO and other spiritistic encounters "have taken on an intensity never before experienced by humankind." He concedes that these supernatural entities are *demanding* communion with "the very depths of the soul."[19]

The subject of the occult is therefore important—vitally important—because in one form or another almost everyone in our culture will sooner or later be exposed to the occult. And at that very point of exposure, a person's entire life path can be determined. Why? Because tens of millions of people are now vulnerable. They are searching for answers, some desperately. The occult claims it can provide answers. Occult practices seem to offer not only meaning and purpose in life, but powerful spiritual experiences as well. And such experiences are forceful persuaders. When people have such dynamic encounters with a supernatural reality, it can dramatically change their lives and perspective. Occultism is thus much more than a mere philosophy of life; it can become a commanding presence, having irresistible persuasion.

Everywhere today, people in the occult claim that their methods offer true spirituality, leading to a higher state of existence, and finally to ultimate Reality. But what if this assessment is wrong and the road of the occult really leads elsewhere? If the occult delivers, what exactly does it deliver? It is the purpose of this booklet to answer that question. We begin with a definition of the occult.

2. What is the occult?

The English word "occult" comes from the Latin "occultus," meaning "to cover up, hide, or conceal." Below, we offer several definitions from various authoritative sources:

The *Oxford American Dictionary* defines the occult as:

> 1. secret, hidden except from those with more than ordinary knowledge. 2. involving the supernatural, occult powers. The occult [involves] the world of the supernatural, mystical or magical.[20]

Webster's Third International Dictionary (unabridged) defines the occult in the following manner:

> deliberately kept hidden. . . . of, relating to, or dealing in matters regarded as involving the action or influence of supernatural agencies or some secret knowledge of them.[21]

Encyclopedia Britannica defines and discusses occultism as follows:

> a general designation for various theories, practices, and rituals based on esoteric knowledge, especially alleged knowledge about the world of spirits and unknown forces of the universe. Devotees of occultism strive to understand and explore these worlds, often by developing the [alleged] higher powers of the mind. ... Occultism covers such diverse subjects as Satanism, astrology, Kabbala, Gnosticism, theosophy, divination, witchcraft, and certain forms of magic.[22]

Dr. Ron Enroth, professor of sociology at Westmont College at Santa Barbara, California, and an authority on new religions and cults, offers the following definition:

> The term refers to "hidden" or "secret" wisdom; to that which is beyond the range of ordinary human knowledge; to mysterious or concealed phenomena; to inexplicable events. It is frequently used in reference to certain practices (occult "arts") which include divination, fortune telling, spiritism (necromancy), and magic.
>
> Those phenomena collectively known as "the occult" may be said to have the following distinct characteristics: (1) the disclosure and communication of information unavailable to humans through normal means (beyond the five senses); (2) the placing of persons in contact with supernatural powers, paranormal energies or demonic forces; (3) the acquisition and mastery of power in order to manipulate or influence other people into certain actions.[23]

What all these definitions have in common is that they accurately understand the occult as involving 1) things normally invisible or "hidden," and therefore normally unavailable to people and 2) contact with supernatural agencies and powers.*

But who or what are the "supernatural agencies and powers" that people involved in the occult contact? Deciding who these supernatural powers or entities are is of major importance. In fact, for those involved in the occult, nothing is more important.

---

* For a discussion of the underlying philosophy of the occult and its comparison to Christianity see Ankerberg and Weldon, *Cult Watch* (Harvest House 1991).

3. Are the supernatural entities and spirits of the occult who they claim to be, or are they something else entirely?

We do not think these spirits and entities are what they claim to be. It is, therefore, one purpose of this discussion to offer evidence for a biblical view of the occult. From this perspective, the occult involves various activities seeking the acquisition of "hidden" things—particularly supernatural power and knowledge—which are forbidden by God in the Bible. Such activities utimately bring one into contact with the spirit world which the Bible identifies as the world of demons under the power of Satan (see Questions 4-7). Thus, the philosophy derived from occult practices characteristically originates in or is compatible with the "doctrines [teachings] of demons" (1 Timothy 4:1).

No one involved in the occult (or considering involvement) can be unconcerned over such a possibility. If the evidence indicates that the biblical view is correct, then those who become involved in the occult may get more than they bargained for.

4. Do all men have natural psychic ability or are psychic abilities mediated through spiritistic (demonic) power?

A very common occult practice involves the development of psychic abilities. Yet a great deal of confusion exists as to what psychic abilities are. Are they really latent human powers possessed by everyone? Most people who think so refer to the research of J. B. Rhine and modern parapsychology* as having "proven" that psychic powers are natural abilities within all people. But this is not so.**

We believe that psychic powers are mediated through demonic ability. We think this because of the testimony of occultists themselves; those who claim psychic powers freely confess that apart from their spirit guides (demons who imitate helping spirits), they have no supernatural abilities. Shamans, Satanists, witches, mediums, channelers, psychic healers, and spiritists of every stripe freely

---

* For a discussion of the underlying philosophy of the occult and its comparison to Christianity, see Ankerberg and Weldon, *Cult Watch* (Harvest House, 1991).

** Parapsychology is the scientific study of the occult, especially the study of mediumistic phenomena. For a critical evaluation of parapsychology and "Christian" parapsychology, see Ankerberg and Weldon, *Cult Watch* (Harvest House, 1991).

concede that apart from their spirit helpers they are powerless to do the things that they do.

Michael Harner has been a visiting professor at Columbia and Yale. He teaches anthropology courses on the graduate faculty of the New School for Social Research in New York and is chairman of the Anthropology section of the New York Academy of Sciences. He is also a practicing shaman and author of *The Way of the Shaman.* He observes that the fundamental source of power for all shamans is the spirit world: "Whatever it is called, it is the fundamental source of power for the shaman's functioning.... Without a guardian spirit, it is virtually impossible to be a shaman, for the shaman must have this strong, basic power source...."[24]

Concerning Hindu and Buddhist gurus, which incidentally have many characteristics in common with the shaman,[25] they too confess that their power comes from the spirit world. No less an authority than Indries Shah observes, "It is true that the Sadhus [gurus] claim that their power comes exclusively from spirits; that they within themselves possess no special abilities except that of concentration."[26]

Louis Jacolliot, a former Chief Justice of the French East Indies and Tahiti confesses the same. In *Occult Science in India and Among the Ancients*, he observes that psychic forces are conceded to be "under the direction of the spirits."[27] Thus, the Indian psychics "produce at will the strangest phenomena entirely contrary to what are conventionally called natural laws. With the aid of spirits who are present at all their operations, as claimed by the Brahmans, they have the authority as well as the power, to evoke them."[28]

In his *Adventures into the Psychic*, seasoned psychic researcher Jess Stearn makes this common observation: "Almost without exception, the great mediums... felt they were instruments of a higher power which flowed through them. They did not presume to have the power themselves."[29]

In other words, people who have this power characteristically recognize it is not a natural human ability. In *Freed from Witchcraft*, former Satanist and witch Doreen Irvine confesses, "I had known and felt that [occult] power often enough, but I believed it was not a natural, but rather a supernatural, power working through me. I was not born with it. The power was not my own but Satan's."[30] Significantly, even as a Satanist and witch she did not know that she was possessed by numerous demons: "Now, I was no stranger to demons. Had I not often called on them to assist me in rites as witch and Satanist? [But now] for the first time I knew these demons were *within* me, not outside. It was a startling revelation."[31]

Apparently then, even the most demonized individuals such as Irvine, who as noted earlier had 47 demons cast from her,[32] need not be *consciously* aware that spirits are indwelling them. If this is so, it may be logical to assume that many others who traffic in less virulent forms of the occult may also be possessed by demons and yet not know it.

Further, if such people are cleverly taught that their supernatural powers are "natural and innate," they will wrongly assume that their powers originate within them as some "natural" or evolutionary psychic ability. The fact that demons work through them will not only be hidden from them, but there will be a natural aversion to the very concept of demons because the concept of "natural powers" is infinitely preferable to the idea of collusion with evil, supernatural spirits.

Nevertheless, however occultists may choose to interpret their powers, they cannot escape the fact that it is really spirits that work through them. For example, consider the phenomenon of psychic healing, which many people consider a "natural" and/or "divine" ability. In his *Supersenses*, Charles Panati refers to the research of psychic researcher Lawrence LeShan who has observed Eastern and Western psychic healers firsthand. Panati states, "But if the healers he studied had one thing in common, it was that they all felt that they did not perform the healing themselves; 'a "spirit" did it working through them.' They felt they were merely passive agents. . . . All the healers he studied slipped into altered states of consciousness in order to heal."[33]

One of the most comprehensive collections of information on psychic healing is *Healers and the Healing Process*. This authoritative ten-year investigation observes,

> Any study of healers immediately brings the investigator face to face with the concept that spirit intelligences (variously referred to as guides, controls, or protectors) are working through the minds of healers

> to supply information of which the healer himself has no conscious knowledge.[34]

This study also noted that "the only large concentrations of healers seemed to be in countries where the belief systems involve what is generally known as spiritualism or spiritism."[35] For example, "in both Brazil and the Philippines the healers have developed almost entirely in the confines of spiritualistic communities."[36]

Similar citations could be multiplied indefinitely for all the different categories of occult practice. Whatever the person with psychic abilities calls them, it is the spirits and not the individual that are the true source of power.

The bottom line is this: Wherever psychic powers are found, the spirit world is also found. Further, apart from these spirit beings, those with psychic abilities claim they are powerless. What this tells us is that the only way psychic powers are generated is through some involvement with the spirit world, and that all men do *not* have the natural capacity for such abilities. If psychic powers were truly a human capacity, anyone could develop them. But again, the only people who develop such abilities are occultists who, through their occult practices, come into contact with the spirit world. As the vast majority of people have never developed these powers, it is not logical to think such powers constitute a "natural" human potential lying dormant within the race.

Consider the comments of Danny Korem, a world class stage magician who has investigated or exposed a number of leading psychics. Responding to the question, "Do humans actually possess psychic powers?" he replied:

> If you mean by psychic abilities things the mind can do in and of its own ability, I say it's not possible. That's what you find when you investigate case after case after case. Tens of millions of dollars have been spent on research in this area and there has never been a verifiable demonstration of human psychic power.[37]

In conclusion, we see no evidence for natural or latent psychic powers. These powers are "potential" only to those who are tapping the powers given by spirits, whether or not such beings are perceived and whether or not they are conveniently redefined in terms of natural and neutral categories.

SECTION II

The Bible, Psychic Powers, Demons, and the Occult

5. What does the Bible say about the devil?

The Bible has a great deal to say about Satan or the devil. The devil is seen to be an apostate angel who fell from heaven (Luke 10:18; Jude 6; Revelation 12:9). He is called the "tempter" (1 Thessalonians 3:5), "wicked," and "evil" (Matthew 6:13; 13:19), the "god of this world" (2 Corinthians 4:4), the "prince of this world" (John 12:31; 14:30; 16:11), "dragon," "serpent," (Revelation 12:9; 20:2), and a "liar" and "murderer" (John 8:44).

Further, the Bible asserts that Satan has a kingdom (Matthew 12:26) which is hostile to Christ's kingdom (Matthew 16:18; Luke 11:18), and that he rules a realm of demons or evil spirits (Matthew 9:34). He deceives the whole world (Revelation 12:9; 13:14), works in the children of disobedience (Ephesians 2:2), worked even among the apostles (Matthew 16:23; Luke 22:31; John 13:2), and opposes the people of God (1 Chronicles 21:1; Zechariah 3:2; Acts 5:3; 2 Corinthians 2:11; 1 Thessalonians 2:18). He even tried to gain the worship of God Himself in the person of Christ, an act suggestive of his mental imbalance, if not insanity (Mark 1:13; Matthew 4:1-10).

The Bible further teaches that Satan sows seeds of error and doubt in the church (Matthew 13:39), blinds the minds of unbelievers (Mark 4:15; Acts 26:18; 2 Corinthians 4:4), is capable of possessing men (John 13:27), has the power of death (Hebrews 2:14), and prowls about like a roaring lion seeking those he may devour (1 Peter 5:8). His key abilities are power, deception, and cunning. He has great power (2 Thessalonians 2:9) and his subtlety (Genesis 3:1) is seen in his treacherous snares (2 Timothy 2:26), wiles (Ephesians 6:11), devices (2 Corinthians 2:11), and transforming, impersonating abilities (2 Corinthians 11:14).

Scripture does acknowledge there is genuine power in the occult (Isaiah 47:9), but it is to be avoided because it is *demonic* power (Matthew 24:24; Acts 8:7; 13:6-11; 16:16-19; 19:18-20; 2 Corinthians 4:4; Ephesians 6:7-11,22; 2 Timothy 3:8). As Dr. Robert A. Morey observes,

> Data from Scripture, history and personal experience demonstrate that there is a Satan. He is a finite spirit being—i.e., a creature of pure energy not hindered by a physical body. Around him are gathered millions of other 'energy beings' who can kill, mutilate or possess the bodies and minds of human beings. This vast horde of extradimensional energy-beings constitute the forces behind occult phenomena.[38]

In many cases, Scripture explicitly cites Satan or his demons as the reality behind occult involvement, idolatry, and false religion (Deuteronomy 32:16,17; Psalm 106:35-40; Acts 16:16-19; 1 Corinthians 10:19-21; 2 Thessalonians 2:9,10; 1 Timothy 4:1).

6. Are demons polymorphs (able to assume different forms), and what are poltergeists? What are the implications of the imitating capacities of demons?

As we have seen, the Scripture speaks of the reality of a personal devil and myriads of demons who have "great power" and who should be regarded as cunning enemies of all men (Isaiah 47:9; Matthew 6:13; 9:34; Luke 8:12; 13:16; John 8:44; 13:27; Acts 16:18; 2 Corinthians 2:11; 4:4; 11:3; Colossians 1:13; 2 Thessalonians 2:9; 2 Timothy 2:26).

One of the devil's key tactics is to masquerade as "an angel of light" or a servant of righteousness. Scripture states clearly that "Satan disguises himself as an angel of light" (2 Corinthians 11:14); that is, that he and his demons can imitate a good spirit or entity merely to suit their own evil purposes. Is it then logical or wise for those who contact the spirits to uncritically accept the spirits' claims to be divine entities, or to believe them when they claim that their true motives are to help humanity spiritually?

How can anyone logically do this when it is a fact that throughout the history of the occult, men have recognized the endless morphology and mimicking capacity of the spirits? Thus, according to Satprem, a leading disciple of the prominent occultist Sri Aurobindo, the spirits "can take all the forms they wish. . . ."[39]

Poltergeists provide one illustration of the subtlety of demonic strategies. For demonologists of the sixteenth century, the phenomenon of the poltergeist was clearly diabolic. However, for more enlightented modern folk, poltergeists are harmless "ghosts" (alleged spirits of the human dead) that haunt houses. But in fact poltergeists are not the roaming spirits of the human dead. Rather, they are demons who imitate the dead for two distinct purposes: 1) denial of the biblical teaching on judgment and 2) the promotion of the occult. If the human dead are free to roam, as poltergeist incidents would seem to demonstrate, then the Bible is wrong when it claims that the spirits of dead men have been judged and confined and cannot return and contact the living (Hebrews 9:27; Luke 16:19-31; 2 Peter 2:9).

Further, those who are brought in to investigate poltergeist disturbances are typically occultists and supporters of the occult—mediums, spiritists, psychical researchers, parapsychologists, etc. Because such persons are usually able to "resolve" the disturbance (the spirits gladly cooperating behind the scenes), the entire episode grants the occultist spiritual authority and credibility. But as former mediums have testified, this is merely a ruse of the spirits to fool men into adopting unbiblical teachings—erroneous spiritual teachings that have harmful consequences. The story of former mediums Raphael Gasson in *The Challenging Counterfeit* (1969) and Victor Ernest in *I Talked with Spirits* (1971) are illustrative.

In addition, poltergeist phenomena often become the means of a person's conversion to the occult. The supernatural encounters are so startling and intriguing that witnesses and participants may become converted to a belief in the supernatural and may end up becoming involved in psychic investigation such as using Ouija boards or attending seances.

Also, poltergeists are clearly *not* "harmless ghosts." Besides the typical poltergeist activities such as throwing rocks, overturning furniture, wrecking kitchens, setting clothes on fire, soaking rooms with water, rearranging personal belongings, transporting items and babies, "there is also evidence that they do far worse things, seriously wounding and even killing people."[40]

Finally, of thousands of incidents recorded or investigated by Dr. Kurt Koch, a leading authority on the occult, in every case "occult practices lay at the root of the [poltergeist] phenomena."[41]

Given this ability of the spirits to assume virtually any shape and to take virtually any disguise, from angels to the human dead, how can any occultist or spiritist be certain that the spirits they contact are really who they claim to be? How can they be certain that the appearances of their "dead loved ones" in seances are not simply the clever tricks of demons to foster emotional trust and dependence?

The harrowing experiences of seasoned occultists like Robert Monroe are an illustration of the problems encountered in identifying the true nature of these entities. In one of his many out-of-the-body episodes, Monroe was viciously attacked by two evil spirits. At one point in the fray, he panicked and desperately attempted to remove himself from their torment. As he looked at them, they instantaneously turned into the images of his two daughters, attempting to throw him off balance emotionally in his fight against them. "The moment I realized the trick, the two no longer appeared to be my daughters.... However, I got the impression that they were both amused, as if there was nothing I could do to harm them. By this time, I was sobbing for help!"[42]

With abilities like this, where does one find a scorecard? Even the famous spiritist Emanuel Swedenborg had to confess a serious problem at this point. Though Swedenborg freely contacted the spirits, he cautioned others about the dangers of this. The spirits were, he warned, generally untrustworthy and only those who had, allegedly, received divine sanction (like himself) could "safely" communicate with them. Thus he warned:

> When spirits begin to speak with a man, he ought to beware that he believes nothing whatever from them; for they say almost anything. Things are fabricated by them, and they lie....they would tell so many lies and indeed with solemn affirmation that a man would be astonished....If a man then listens and believes they press on, and deceive, and seduce in divers [many] ways.... Let men beware therefore....[43]

Even more disconcerting, according to Swedenborg, are demonic spirits that are gifted actors, who can impersonate anyone or anything, living or dead. They can convince their unsuspecting contacts that their communications come directly from deceased friends and relatives or from famous persons of the past.

In other words, no less an authority than Swedenborg himself confessed that the spirits were 1) untrustworthy liars and 2) deliberate deceivers and impersonators.

Swedenborg's cautions have rarely been heeded, of course, as virtually all magicians, spiritists, mediums, and occultists claim "divine sanction" and decide to trust the spirits regardless. But remember, the above statement did not come from a Christian believer but from one of the foremost occultists of this millennium. Further, his concerns *are* echoed by former modern mediums and spiritists who have found their once-friendly spirit guides, in the end, to be demonic spirits. The testimonies of Raphael Gasson, Victor Ernest, Johanna Michaelsen, and Ben Alexander are illustrative.[44]

Is it not the nature of the intelligent yet evil or criminal personality to mask its true intentions, to deceive by imitating good, and even to appeal to the finer (or baser) instincts of men? If deception exists throughout the material world,* on what basis can we assume it is entirely absent in the spiritual world?

7. What biblical evidence exists that psychic powers are produced by demons and are not natural human capacities?

It is our conviction that not only the history of parapsychology and the occult, but biblical teaching as well, indicates that human nature is devoid of the supernatural capacities that many psychics and occultists claim. Nowhere in the Bible is man presented as having supernatural powers that originate from his own nature, and so any truly supernatural miracles performed by men or women must originate either from a divine or a demonic source—either from God and the good angels or Satan and the fallen angels (demons).

This is why when we examine the Bible, we discover that the miracles done by believers are done entirely through the power of God or holy angels.**

Which biblical prophet was able to do miracles apart from God's power? Who were the disciples before Jesus gave them authority? Did any of them perform miracles? Even the greatest, most godly man alive, apart from Jesus, never did a single miracle (John the Baptist; Matthew 11:11, John 10:41). Likewise, the most dramatic miracle performer apart from Jesus was Moses. But Moses confessed that his power to perform miracles was not his own, but God's alone (Exodus 3:11,20; 4:1-17). Jesus himself taught, "Apart from me you can do nothing" (John 15:5 NIV).

Further, note the thrust of the following Scriptures. Collectively, they imply that there is no latent psychic ability for men and women to develop.

---

* For a fascinating study, see M. Scott Peck's *People of the Lie*.

** Even in the category of spiritual gifts, the nature of a gift implies a person does not possess it prior to its being given.

In Acts 16:16-19 we find the story of the slave girl who had "a spirit of divination." Significantly, when the apostle Paul cast the spirit out of the girl, she lost her psychic powers. "And it [the spirit] came out at that very moment. But when her masters saw that their hope of profit was gone, they seized Paul and Silas and dragged them into the market place before the authorities." Now if this girl's powers were innate and natural, why did she lose them the very moment that the spirit was cast out of her? It would seem evident that the psychic powers came from the spirit, not the girl.

Moses, the greatest prophet in the Old Testament, had no power except from God. As noted, Moses openly confessed the miracles he performed were not from his own hand. God Himself spoke specifically to Moses: "So I will stretch out My hand and strike Egypt with all My miracles which I shall do in the midst of it" (Exodus 3:20; cf. Deuteronomy 34:11,12). "See that you perform before Pharaoh all the wonders *which I have put in your power*" (Exodus 4:21).

What was true for Moses was consistently true for every other Old Testament biblical prophet who performed miracles: Elijah, Elisha, Daniel, etc. (cf. Micah 3:8).

In the New Testament we find the same situation—apart from God the apostles had no power of their own. The apostles were "clothed with power *from on high*" by God the Holy Spirit (Luke 24:49; Act 2:4,43). For example, in the healing of the lame beggar in Acts 3:12, "When Peter saw this [the people's amazement over the miraculous healing], he replied to the people, 'Men of Israel, why do you marvel at this, or why do you gaze at us, *as if by our own power* or piety we had made him walk?'" (emphasis added).

The apostle Paul and Barnabas reflected the same attitude. In Acts 14:11-15 we find the attempted worship of Barnabas and Paul by the crowd that had witnessed their miracles: "And when the multitudes saw what Paul had done... [they said] 'The gods have become like men and have come down to us....' [but Paul said] 'Men why are you doing these things? We are also men of the *same nature* as you....'" In Acts 10:26 Cornelius attempted to worship Peter after seeing his miracles, but Peter responded, "Stand up; I too am just a man." In Acts 4:29,30, Peter prayed, "Now Lord... stretch out *your hand* to heal and perform miraculous signs and wonders..." (NIV). In Acts 14:3, "Therefore they spent a long time there speaking boldly with reliance upon the Lord, who was bearing witness to the word of His grace, *granting* that signs and wonders be done by their hands." In Acts 9:34, "And Peter said to him, 'Aeneas, *Jesus Christ* heals you. . . .'" In Acts 19:11, "And *God* was performing extraordinary miracles by the hands of Paul. . . ." In Romans 15:19, "In the power of signs and wonders, in the power *of the Spirit*. . . I have fully preached the gospel of Christ." Jesus Himself said in Luke 10:19, "Behold, *I* have given you authority . . . over all the power of the enemy. . . ." Further, in James 5:17: "Elijah was a man with *a nature like ours*," but when he "*prayed earnestly*" a miracle *from God* resulted. (Emphasis added in the above verses.)

Similar verses declaring that divine miracles come from God and not from man are found in Genesis 41:16, Daniel 1:17,20; 2:27-30, Mark 6:7; Acts 15:12, 16:16, 19:11, Romans 15:19, and 1 Corinthians 12:9,10,28,30.

But if the Bible is clear that men have no supernatural powers, it is just as clear that the devil does have them and that he can perform true miracles (2 Thessalonians 2:9).

The evidence, then, would seem clear. Occultists themselves frequently admit they have no psychic abilities apart from their spirit guides. The Bible also testifies that men are without latent supernatural power and that miracles come from one of two sources: God or Satan. Finally, over a century of intensive parapsychological study has failed to produce any genuine evidence of latent psychic ability.*

All of this seems to indicate that man is not the psychic and supernatural creature that many in the New Age and the modern revival of the occult claim he is.

Finally, biblical miracles are not to be equated with psychic powers, as so-called Christian parapsychologists maintain. To confuse the supernatural manifestations in Christianity and the occult is dangerous. Upon examination, the surface similarities are seen to mask contrary natures that are irreconcilable.

Biblical Miracles	**Psychic Powers**
Source or Origin	
God or Angels	Satan or Demons (Acts 16:16-19)

* For an evaluation see Ankerberg and Weldon, *Cult Watch* (Harvest House, 1991), and Clifford Wilson and John Weldon, *Psychic Forces* (Global, 1987).

Purpose or Goal

(a) To display divine power and/or reveal or confirm divine truth (Exodus 4:5,29-31; 7:5; John 15:24; Acts 2:22)	(a) To display occult power, and/or reveal or confirm occult truth and thereby hide or counterfeit divine truth (Acts 8:9-11; 2 Thessalonians 2:9,10)
(b) To lead people to God, resulting in individual salvation (John 4:39; 10:38; 11:40-45; Acts 17:31)	(b) To deceive and to lead people to false gods (Deuteronomy 13:1-5) resulting in the destruction of the soul (Revelation 21:8)

Result or End Product

To glorify God (Exodus 9:16; John 11:4, 40-42)	To glorify man or demons to the exclusion of God (Acts 13:8-12)

SECTION III

What Are the Dangers of the Occult?

8. How can we know when psychic experiences become dangerous?

Unfortunately, we cannot know when psychic experiences become dangerous. We can only say that they should not be sought. Brooks Alexander, senior researcher for Spiritual Counterfeits Project in Berkeley, California, made the following observation:

> Many people seem to have so-called "psychic" experiences without being emotionally or spiritually injured by them. At the same time it seems clear that the world of psychic pursuit and fascination is a demonic playground. How do we know the acceptable level of psychic involvement? We do not know. Each individual encounters the demonic danger at his own level of temptation—whatever that may be.
>
> The fact is that no one knows how demonic beings operate in relation to psychic phenomena. Therefore

> it is impossible to say that "X" amount of psychic involvement will result in demonic contact. We do not know where the line is drawn between dabbling and demonism, or between curiosity and commitment, nor do we know how and when that line is crossed. It may be that the question of "how much" has less to do with it than we think. I would suggest that the neural and mental pattern set up by psychic involvement provides an *interface* with other forms of consciousness, which are extradimensional and demonic in nature. If that is the case, then psychic dabbling is a little like entering the cage of a man-eating tiger. You may or may not be eaten, depending in part on how hungry the tiger is. The significant point is that once you enter the cage, the initiative passes to the tiger.[45]

It would appear that occult involvement is in many ways like other sins: the longer and deeper the involvement, the greater the risk. Perhaps for one person consequences could come sooner than for another. Thus a given activity or duration of activity in one context may not have the same effects in another context.

It must also be noted that the effects of psychic involvement may not be visibly discernible. They may be unseen, subconscious or incipient; for example, an indiscernible but increasing resistance to the gospel or the early imperceptible stages of psychological damage or demonization.[46]

9. Are there physical and psychological dangers to occult practice?

It should be obvious that one reason the occult is dangerous is because it brings people into contact with demons who, despite their benevolent claim, have little love for men. In the Bible, demons are presented as inflicting numerous physical and psychological ailments upon their victims. While it must be stressed that most illnesses, mental or physical, are *not* demonically instituted, the array of possible symptoms cited in Scripture covers virtually all of the workings of the human mind and body: skin disease (Job 2:7), destructive and irrational acts (Matthew 8:28, Luke 8:27), deafness and inability to speak (Mark 9:25, Luke 11:14), epileptic-like seizures (Matthew 17:15, Mark 9:20, Luke 9:39), blindness (Matthew 12:22), tormenting pain (Revelation 9:1-11), insanity (Luke 8:26-35), severe physical deformity (Luke 13:11-17), and other symptoms. Demons can just as easily give a person supernatural power and knowledge (Luke 8:29) or attempt to murder him or her (Matthew 17:15).

Not surprisingly, there are many accounts of mediums, spiritists, and occultists—and those people who frequent them—suffering physically in a manner similar or identical to the symptoms described above.[47]

For example, the famous Russian medium Ninel Kulagina was the subject of repeated parapsychological experimentation. During some tests her clothes would spontaneously catch on fire and unusual burn marks would appear on her body. She "endured pain, long periods of dizziness, loss of weight, lasting discomfort" sharp spinal pains, blurred vision, and a near-fatal heart attack from her psychic activities.[48] Unfortunately, the heart attack was massive and left Kulagina a permanent invalid.

The infamous "black" occultist Aleister Crowley ended up in an insane asylum for six months after trying to conjure the devil. His attempts to conjure helping spirits often produced demons instead. His children died and his wives either went insane or drank themselves to death. Two biographers observe, "Every human affection that he had in his heart . . . was torn and trampled with such infernal ingenuity in his intensifying torture that his endurance is beyond belief."[49] Crowley's tragedy illustrates an important point, that even with great knowledge and expertise in the occult, one is still not safe. And if experts in the occult aren't safe, how can anyone else guarantee their own protection?

Further, tragic "accidents" and other injuries also happen to the psychically involved and sometimes to their families. No less an authority than Dr. Koch has observed that people under occult subjection and demonization "frequently are in fatal accidents. I have many examples of this in my files."[50] Elsewhere he observes, "I would like to point out that in my own experience numerous cases of suicides, fatal accidents, strokes and insanity are to be observed among occult practitioners."[51]

As we survey the world of the occult, it is easy to cite illustrations of such "accidents" and other consequences. The famous psychic surgeon, Arigo, died in a horrible car crash; the Russian occultist, Gurdjieff, nearly died in a fatal car accident. Well-known parapsychologist, Edmond Gurney, author of *Phantasms of the Living*, died a tragic death either by accident or suicide; "Christian" spiritist William

Branham died from a car accident; occult guru Rudrananda died at age 45 in a 1973 airplane crash.[52]

The famous medium Eileen Garrett's parents both committed suicide; Krishnamurti's brother, Nityananda, died at age 25 and Krishnamurti himself experienced terrible demonization throughout his life. He suffered incredibly strange and agonizing torments as part of a transforming "presence" he called "the process."[53]

James I. Wedgwood, a Theosophy convert and leader of the Theosophically instituted Liberal Catholic Church, went mad for the last 20 years of his life—and we could mention scores of other illustrations. In our own studies, we have encountered heart attacks; epileptic seizures; mental derangement; strange blackouts; stomach; eye and skin problems; and many other maladies from occult practices.[54]

During his lifetime, Dr. Koch counseled over 11,000 people[55] who had encountered problems arising from their occult practices. He observes of those who carry on an active occult practice, "The family histories and the end of these occult workers are, in many cases known to me, so tragic that we can no longer speak in terms of coincidence."[56] For those *passively* involved, he observes that "occult subjection has been seen in relation to psychological disturbances which have the following predominant characteristics:

a. Warping and distortion of character: hard, egotistical persons; uncongenial, dark natures.
b. Extreme passions: abnormal sexuality; violent temper, belligerence; tendencies to addiction; meanness and kleptomania.
c. Emotional disturbances: compulsive thoughts, melancholia; suicidal thoughts, anxiety states.
d. Possession: destructive urges, fits of mania; tendency to violent acts and crime....
e. Mental illnesses.
f. Bigoted attitude against Christ and God: conscious atheism; simulated piety; indifference to God's Word and prayer; blasphemous thoughts; religious delusions.
g. Puzzling phenomena in their environment.[57]

Dr. Merrill F. Unger, author of four books on occultism and demonism, observes, "The psychic bondage and oppression that traffickers in occultism themselves suffer, as well as their dupes, is horrifying to contemplate."[58] Further,

> Both psychiatry and psychology recognize the adverse effects of spiritistic activity upon the mind. Symptoms of split personality appear after sustained dealings in the occult. Psychiatry defines the resulting disorder as mediumistic psychosis.[59]

Philosopher, trial attorney, and noted theologian Dr. John Warwick Montgomery has authored or edited several books on the occult and owns one of the largest private libraries of rare occult books in the country. He warns:

> There is a definite correlation between negative occult activity and madness. European psychiatrist L. Szondi has shown a high correlation between involvement in spiritualism and occultism (and the related theosophical blind alleys) on the one hand, and schizophrenia on the other. The tragedy of most sorcery, invocation of demons, and related practices is that those who carry on these activities refuse to face the fact that they *always* turn out for the *worst*. What is received through the Faustian past never satisfies, and one pays with one's soul in the end anyway.[60]

There are many ways to pay such a price. As noted, suicide is one risk for occult practitioners. Many times there is a deliberate attempt by the spirits to induce suicide in the unwary person. If the individual is trying to leave the occult, they are told they will never be able to do so and that the only escape is suicide. Some gurus have even taught that disciples who leave them will commit suicide as a natural consequence—the disciple's only choice is either to follow the guru or die.[61]

Other individuals become enamored with their spirit guides' blissful descriptions of the "wonders" and "pleasure" of the "next life" and are lovingly urged to "come join us." Liberal theologian and occult supporter Morton Kelsey observes, "Two researchers working with the problem of suicide in Los Angeles were amazed at how often, in the course of their interviews, people who showed suicidal tendencies refer to contact with the dead."[62] United Nations' spiritual adviser and spiritist guru Sri Chinmoy confesses that the spirits are cunningly evil. He observes that, in visions, they have even appeared to disciples in the actual form of their guru and instructed them to kill themselves in order to attain "karmic liberation" sooner.[63]

In light of all this, Jesus' condemnation of the devil as "a liar" and "a murderer from the beginning" (John 8:44) is highly accurate. Indeed, the devil's lethal methods and intent are evident throughout the inglorious history of the occult. Consider the case of Dr. Carl A. Wickland, M.D., a physician, accomplished spiritist, and researcher in psychology. His wife was a trance medium "easily controlled by discarnate intelligences."[64] For over 30 years Wickland communicated with the spirit world through her, recording her teachings. These were given in his *Thirty Years Among the Dead*.

Wickland became an acknowledged authority in the area of spiritism and the occult. Even Sir Arthur Conan Doyle, author of the Sherlock Holmes series and a noted convert to spiritism, said of Wickland, "I have never met anyone who has had such a wide experience of invisibles."[65]

Wickland's life was somewhat reminiscent of the great Emanuel Swedenborg, the famous spiritist of the eighteenth century. Though both Swedenborg and Wickland practiced spiritism extensively, both issued stern warnings about its dangers (see Question 6). Wickland observes that "a great number of unaccountable suicides are due to the obsessing or possessing influence of... spirits. Some of these spirits are actuated by a desire to torment their victims...."[66]

According to his own extensive experience, he observed that spiritism frequently causes

> ... apparent insanity, varying in degrees from a simple mental aberration to, and including, all types of dementia, hysteria, epilepsy, melancholia, shell shock, kleptomania, idiocy, religious and suicidal mania, as well as amnesia, psychic invalidism, dipsomania, immorality, functional bestiality, atrocities, and other forms of criminality.[67]

In fact, his book devotes entire chapters to the spirits' influence in fostering suicide, criminal practices, drug use, and other unsavory activities. He confesses, "In many cases of revolting murder, investigation will show that the crimes were committed by innocent persons under the control of disembodied spirits...."[68]

Wickland is not alone in his assessment of the psychological dangers of occult practice. Some authorities think that a significant percentage of those institutionalized in mental hospitals may be suffering from mental illness induced by occult practice and/or demonization. Dr. Koch refers to a New Zealand psychiatrist who "claims that 50%

of the neurotics being treated in the clinics in Hamilton are the fruit of Maori sorcery."[69] He also observes a Christian psychiatrist who believes that up to half of the inmates at his psychiatric clinic are suffering from occult oppression rather than true mental illness.[70]

Dr. Anita Muhl, an authority on the use of the mediumistic ability of automatic writing in psychotherapy, observes that automatisms "frequently precipitate a psychosis." She supplies many examples.[71] Roger L. Moore, psychologist of religion at Chicago Theological Seminary, observes that "there are haunting parallels" between the paranoid schizophrenic and the deeply involved occultist. He also observed at a four-day symposium of the American Academy of Religion, "Participation in the occult is dangerous for persons who are the most interested in it.... A lot of them have become paranoid psychotics."[72]

All this proves that occult involvement carries both physical and psychological risk; indeed, no one familiar with the facts can deny it. But it also carries spiritual risk.

10. Is demonization a very real possibility for those involved in the occult?

What is demonization? Dr. C. Fred Dickason, who has authored several books on demonology, provides the following discussion of the word's origin and meaning:

> The [Greek] verb *daimonizomai* means "to be possessed by a demon." The participle from the same root, *daimonizomenos*, is used twelve times in the Greek New Testament. It is used only in the present tense, indicating the continued state of the one inhabited by a demon, or demonized.... Putting it all together, the participle in its root form means "a demon caused passivity."... Demonization pictures a demon controlling a somewhat passive human.[73]

In essence, a demonized person is one who is under the direct influence or control of one or more demons. Symptoms of demonization are not present at all times and demons may, apparently, come and go at will. Nevertheless, it appears they usually prefer to stay within their host, even though the person may have no conscious awareness of this fact (see Question 4).

Unfortunately demonization, or inhabitation by demons who control a person to their ends, is an increasingly frequent occurrence in American society, and this is the direct fruit of our modern revival of occultism. Most people do not recognize how extensively demonization occurs in America. Former Satanist and witch Doreen Irvine confesses, "Demon possession is real, very real, and is increasing at an alarming rate in this present day and age."[74] The modern revival of channeling illustrates that literally tens of thousands of Americans are willing to open their minds and bodies to spirits, allowing the spirits to enter and possess them.[75] Noted psychiatrist M. Scott Peck correctly observes that it is usually the occultist who becomes possessed: "It seems clear from the literature on possession that the majority of cases have had involvement with the occult—a frequency far greater than might be expected in the general population."[76]

Still, many people today scoff at the idea of demon-possession. But this phenomenon is as old as man himself. Indeed, the documentation for its reality is impressive.

No less an authority than Dr. Montgomery asserts, "The problem involved in determining whether demon possession occurs and whether witchcraft works is absurdly simple. The documentation is overwhelming."[77] In a major text on altered states of consciousness, *Religion, Altered States of Consciousness and Social Change*, editor Dr. Erika Bourguignon observes that of 488 societies surveyed, fully 74 percent believed in possession by spirits:

> It will be noted that such beliefs occur in 74% of our sample societies, with a maximum of 88% in the Insular Pacific and a minimum of 52% in North America. The beliefs are thus characteristic of the great majority of our societies [on earth]. . . .[78]

In *The Devil's Bride: Exorcism Past and Present*, psychic researcher Martin Ebon confesses, "The uniform character of possession, through various cultures and at various times, is striking."[79]

We must ask ourselves how such a predominant belief originated, if not from the fact of spirit possession itself? And does not its uniformity suggest in Ebon's own words the possibility of a "universal presence of devils, demons or possessing spirits"?[80] John S. Mbiti observes in his *African Religions and Philosophy*, "Spirit possession occurs in one form or another in practically every African society."[81] The same holds true around the world.

Unfortunately, the fate of those demonized, whether voluntarily or involuntarily, is horrible to contemplate. These horrors are meticulously detailed in the history of the occult and parapsychology, in anthropological studies (shamanism), throughout mediumism and spiritism, and in numerous works on demon-possession.[82] Although many moderns scoff at the very idea of demon-possession, many occultists actually seek it for its "empowering" characteristics. Consider the following description of the occultist's possession by a possessing spirit during the Kabbalistic Master Ritual:

> At last—and he will certainly know when—the god-form will take control of him. To begin with, the adept will feel an exquisite giddiness somewhere at the base of his skull and quickly convulsing the whole of his body. As this happens, and while the power is surging into him, he forces himself to visualize the thing he wants his magic to accomplish, and wills its success. He must put all he has into this and, like our friends the Bacchantes, must whip himself into a veritable frenzy. It is at this point that the force evoked will be expelled to realize the ritual intention.
>
> As he feels the force overflowing inside him the adept, while still visualizing the realized magical intention, bids it go forth to fulfil his wishes....
>
> For some magicians the dislocation of reason [a temporarily cultivated madness] coincides with the moment of sacrifice. Others perform this sacrifice before proceeding to the climax of the rite, arguing that the vital energy discharged by the victim's blood assists the possessing entity to appear inside the [magic] circle. Traditionally, the victim's throat is cut.... More common... is the use of sex.... The outburst of power is effected at the same time as orgasm is reached, with possession occurring a few seconds before.[83]

Not surprisingly, there are serious moral and social consequences to the modern occult revival and some of these must briefly be noted as well.

11. What are some of the moral and social consequences of occultism?

Occult philosophy is typically amoral, that is, it is not ultimately concerned with moral standards. This is why, for many people, occult practice becomes an addiction to evil. As Dr. Unger asserts, "People who deal in the occult are often found to be immoral."[84] Indeed, the sexual immorality alone is so pervasive and so perverted one simply cannot describe it. Sadomasochism, bestiality, necrophilia, snuff films, and worse are common in some occult circles. As Unger further observes, "For those who surrender themselves to worship and serve Satan, the moral degradation and perversion are horrifying...."[85]

Former leading European witch Doreen Irvine recalls,

> Lying, cheating, swearing, free lust—even murder—are condoned.... The chief Satanist didn't care about my prostitution. He believed the more evil he condoned or achieved on earth, the greater would be his reward.... I had witnessed evil and ugly orgies in the Satanists' temple, but I was to see far worse in the witches' coven.... All meetings included awful scenes of perverted sexual acts.... Many black witches were lesbians or homosexuals. Sadism was practiced frequently.... Imagine over 100 black witches all taking part in such perversions at the same time.... I practiced more wickedness in a single week than many would in an entire lifetime.[86]

Unfortunately, the methods of the occultists are generally pragmatic—whatever is effective in securing the desired end. This may include anything from the development of psychic power to voluntary spirit possession, from human sacrifice to other acts of deliberate evil, from temporarily cultivated insanity to acts of physical self-mutilation.[87]

Many occult traditions, such as Tantrism, teach that those who desire spiritual "enlightenment" may actually participate in evil or criminal acts in order to personally understand and experience that evil is merely an "illusion." Hindu and Buddhist gurus often emphasize that Reality is amoral. This is why the prominent Indian guru Rajneesh taught, "Tantra is not concerned with your so-called morality. Really, to emphasize morality is mean, degrading; it is inhuman." He continued to emphasize that even evil was "good"—"EVERYTHING is holy; nothing is unholy"—including things like rape and murder. He also taught "God and the Devil are not two" separate things.[88]

In commenting upon the lesson of the *Bhagavad Gita*, a Hindu holy book, Rajneesh says:

> Even if you kill someone consciously, while fully conscious [i.e. enlightened] it is meditative. That is

> what Krishna was saying to Arjuna . . . Kill, murder, fully conscious, knowing fully that no one is murdered and no one is killed. . . . Just become the instrument of Divine hands and know well that no one is killed, no one can be killed."[89]

Here Rajneesh is only echoing the amoral philosophy of many Eastern "gods" and gurus who preach occultic philosophy. The Hindu god Indra asserts in another Hindu holy book, the Kaushitaki Upanishad (3:1,2): "The man who knows me as I am loses nothing whatever he does. Even if he kills his mother or father, even if he steals or procures an abortion, whatever evil he does, he does not blanche if he knows me as I am."[90] In the *Bhagavad Gita* 9:30, the Hindu god Krishna declares, "Even if one commits the most abominable actions . . . he is to be considered saintly because he is properly situated," that is, in service to Krishna and in "higher" consciousness.[91]

In his commentary on the *Bhagavad Gita*, Maharishi Mahesh Yogi, founder of Transcendental Meditation, observes that the central character of the *Gita, Arjuna*, must attain "a state of consciousness which will justify any action of his and will allow him even to kill in love in support of the purpose of evolution."[92] But we can just as easily switch from such Eastern religion to the philosophy of the Manson clan. Charles Manson once stated, "I've killed no one."[93] Manson family member Susan Atkins believed her murders were committed in love. "You really have to have a lot of love in your heart to do what I did to [Sharon] Tate." Clan member Sandra Good explained, "There is no wrong . . . You kill whoever gets in your way."[94]*

The antisocial orientation of many Eastern practices now employed in America is further revealed by Mircea Eliade in his *Yoga, Immortality and Freedom*:

> The tantric texts frequently repeat the saying, "By the same acts that cause some men to burn in hell for thousands of years, the yogi gains his eternal salvation. . . ." The Brhadaranyaka Upanisad (V, 14,8) [teaches] . . . "One who knows this, although he commits very much evil, consumes it all and becomes clean and pure. . . ."[95]

* Eastern gurus may or may not advocate the practice of evil; the problem is that their monistic philosophy logically leads to it.

Further, in Buddhist Tantrism, the aspiring Buddha is permitted to lie, steal, cheat, and commit adultery and other crimes because in Tantra "all contraries are illusory, [therefore] extreme evil coincides with extreme good. Buddhahood [spiritual "enlightenment"] can—within the limits of this sea of appearances—coincide with supreme immorality...."[96]

It is therefore not surprising that Eliade observes the following connections between European witchcraft and Tantric Yoga:

> ...all the features associated with European witches are—with the exception of Satan and the Sabbath—claimed also by Indo-Tibetan yogis and magicians. They too are supposed to... kill at a distance, master demons and ghosts, and so on. Moreover, some of these eccentric Indian sectarians boast that they break all the religious taboos and social rules: that they practice human sacrifice, cannibalism, and all manner of orgies, including incestuous intercourse, and that they eat excrement, nauseating animals, and devour human corpses. In other words, they proudly claim all the crimes and horrible cermonies cited *ad nauseam* in the western European witch trials.[97]

Indeed, there is little doubt that in America today, hundreds and perhaps thousands of human sacrifices occur each year in occult rituals throughout the country.[98] Psychologist Dr. James D. Lisle believes that in the case of various types of black magic such as Satanism and witchcraft, "You can never be sure a person involved in this won't step over the line into infant sacrifice or cannibalism. We have evidence that it happens."[99]

Further, a connection between serial killers and the occult is now beginning to emerge. Richard Ramirez, the alleged "Night Stalker" and prime suspect in 14 murders and almost 50 other felonies in California, appears to have been involved in Satanism; mass murderer David Burkowitz, the "Son of Sam killer," was also apparently a member of a satanic cult.[100] Even the Atlanta child murders may have combined voodoo, snuff films, pornography/prostitution, drugs, and ritual murder.[101]

In fact, murders are sometimes committed by occultists on the direct command of their spirit guides. Even Jim

Jones, who engineered the slaughter of over 900 people in Jonestown, Guyana, also "believed that he was guided by a supernatural spirit."[102]

Of course, using supernatural powers to commit murder has a long and noble tradition in the occult, including witchcraft, Satanism, voodoo, shamamism, hex-death, etc.[103]

For example, the ABC News program "20/20" on May 16, 1985, ran a segment titled "The Devil Worshipers." It alleged that Satanism was "being practiced all across the country" with perverse and "hideous acts that defy belief" including "suicide, murders, and the ritualistic slaughter of children and animals."[104]

Maury Terry warns in *The Ultimate Evil* that right now, today, America is being victimized "at will" by killer cults.[105]

Nor should this be surprising. We are in the midst of a major occult revival. Various books such as Nigel Davies' *Human Sacrifice in History and Today*; Alastair Scolri's *Murder for Magic: Witchcraft in Africa*; Oxford Scholar R.C. Zaehner's *Our Savage God: The Perverse Use of Eastern Thought*; award-winning investigative reporter Larry Kahaner's *Cults That Kill: Probing the Underworld of Occult Crime*; and also M. Paul Dove's *Indian Underworld*, prove that worldwide, ritualistic murder is widely practiced in the occult both historically and today.[106] Further, once people begin to understand the occult philosophy "justifying" such murders, they can at least see the possible connections between occult activity and something like human sacrifice.

The rationale for human sacrifice is discussed by Oxford-educated Richard Cavindish, a leading authority on the history of magic and occultism, in his *The Black Arts*:

> In occult theory a living creature is a storehouse of energy, and when it is killed, most of this energy is suddenly liberated.... The amount of energy let loose when the victim is killed is very great, out of all proportion to the animal's size or strength.... The spirit or force which is summoned in the ceremony is normally invisible. It can appear visibly to the magician.... by taking possession of one of the human beings involved in the ritual.... The most important reason for the sacrifice, however, is the psychological charge which the magician obtains from it.... It would obviously be more effective to sacrifice a human being because of the greater psychological "kick" involved. ... there is a tradition that the most effective sacrifice

> to demons is the murder of a human being.... [when the sacrifice] is combined with the release of sexual energy and orgasm, the effect is to heighten the magician's frenzy and the supply of force... still further.[107]

Consider the following description by a high-ranking member of the Rajneesh cult. After a Rajneesh disciple died of apparently natural causes, "We all suddenly felt ecstatic... energy was so alive. We could feel it all around us: inside us, in the trees, in the air." One individual, at the exact moment of the disciple's death, felt "an incredible overwhelming energy [had] passed from her body into mine. I was filled with energy. It was like a total orgasm."[108]

It is experiences like these, apparently induced by demons who produce or manipulate occult energies, that may eventually lead to more powerful forms of occult practice—and finally to a descent into human sacrifice as a means of spiritual intoxication and/or advancement.

Unfortunately, several books could be written on the social consequences of occultism. Put simply, social disintegration is the result of a culture's wholehearted turning to the occult. America has now begun down this path. In essence, the occult's rejection of morality; its active promotion of drugs and perverted sexuality, including child molestation; its obsession with death; its glorification of demons; and its denial of cause and effect in the realm of ethics and medicine to name a few, all take a collective toll.

In his article "Satanism and the Devolution of the New Religions," Dr. Carl A. Rashcke, a Harvard Ph.D and professor of religious studies at the University of Denver, ties together the interrelationships between Satanism, the new religions, drugs, and modern criminality. This article, along with many others, clearly reveals there are drastic social implications to occult activity.[109]

All of the above underscores the fact that there are serious moral and cultural consequences to occult practices, far more serious than many people imagine. Thankfully, several recent national symposia on the occult and criminality indicate there is an emerging awareness of some of these consequences. For example, from October 30 to November 1, 1990, North American Conferences of San Demas, California, sponsored a Las Vegas conference on "Occult Crime and Its Impact on Society." It noted, "One of the fastest growing areas of crime has been occult-related crimes, crimes so bizarre and heinous" that they simply cannot be believed, but for the "cold hard facts of police reports and documented evidence."[110]

Nevertheless, because of the secret nature of so much occult practice, the majority of criminal offenses relating to the occult are probably never uncovered. In many ways, only those who have been in hard-core occultism and then delivered from it have any idea of how horrible and antisocial these practices actually are.

What then is the conclusion of our study? Our conclusion is that our nation desperately needs reeducation concerning the facts on the occult.

SECTION IV

Deliverance from the Occult

The following material is intended as a brief, general guide to help pastors and concerned Christians assist those who are suffering from occult involvement. Because our research has primarily been from the literature, the authors have had comparatively little personal counseling experience with the occultly oppressed. However, Dr. Kurt Koch has had 40 years of counseling the occultly oppressed and his book *Occult Bondage and Deliverance* is highly recommended. Most of the following material is adapted from pp. 85-131. For a complete treatment, the reader should consult the full text and other relevant literature.*

First and foremost, a correct diagnosis is essential; for example, mental illness must not be mistaken for occult bondage (pp. 133-190). A person must truly be experiencing demonic oppression from real occult activities; otherwise, misdiagnosis can cause serious problems. How does one determine if a person is suffering from occult oppression? Obviously, the counselor must be aware of the causes (e.g., occult activity) and symptoms (e.g., see pp. 25-28) of this malady and also be involved in some type of counseling of the person in question. Accurate information is essential to accurate diagnosis.*

* e.g., Kurt Koch, *Christian Counseling and Occultism*, John W. Montgomery, ed., *Demon Possession*, C. Fred Dickason, *Demon Possession and the Christian*.

Second, it must be recognized that a genuine battle is in progress. A very real enemy has been encountered, and this enemy is dangerous. But it must also be realized that Christ has obtained victory. Because a real battle has been engaged, Dr. Koch cautions that people are not to rush into the area of occult counseling. Rather, they should seriously look to God for a leading in this area. Spiritual maturity and spiritual insight are vital:

> Without a commission from God, a Christian should not venture too far into the area of the demonic and the occult. There are certain rules that have to be obeyed.... People with a sensitive nervous system or maybe with an occult oppression of their own should never attempt to do any work in this field. Recent converts and young women should also refrain from this type of work (pp. 87,88).

Third, we need to recognize God's sovereignty. Christ and Christ alone is the source of deliverance. The usual procedures—psychology, ritual, hypnosis, meditation, etc. are useless and may compound the problem. Further, God does not require our "often complicated counseling procedures." However, deliverance without any counseling at all is rare. Also, full deliverance may take weeks, months, or sometimes years; or by God's sovereignty it may require only a few hours.

Fourth, all paraphernalia of occultism must be destroyed (Acts 19:19). "Magical books and occult objects carry with them a hidden ban. Anyone not prepared to rid himself of this ban will be unable to free himself from the influence of the powers of darkness" (p. 90). "Yet even the little figures made out of precious stones which often originate from heathen temples have to be destroyed if the owner finds he cannot free himself from his occult oppression" (p. 92).

In addition, all occult contacts and friendship must be broken and not even gifts from occultists should be accepted. In the difficult case of a saved person living with parents who are occultists, it may even be necessary for them to secure other living arrangements. If such persons are attacked by demons and/or their spiritual life declines while they are praying for their parents, Dr. Koch advises "the children of spiritistic families not to pray for their parents at all if they are still engaged in occult practices" (p. 93). "Inexperienced counselors, however, will be unable to appreciate decisions of this nature, for they will have little knowledge of the terrible attacks which can be leveled by the powers of darkness" (p. 94). Perhaps prayer could resume after their Christian life has been sufficiently strengthened or the conditions change. Apparently, because the powers of darkness may attempt to strike back without mercy, such advice needs to be heeded more than one would expect. Battles should be undertaken only when the participant is fully equipped.

Fifth, deliverance from the power of the occult requires complete surrender to Christ on the part of both counselor and counselee. Our first responsibility must be to Christ and our relationship to Him. We cannot help others in so difficult an area until we ourselves are securely grounded as Christians. Every person who really wants to be delivered from the hold of the occult must be prepared to commit his life entirely to Christ. Further, "When a person is delivered from a state of occult subjection, he must withhold nothing in his life from the Lord. These areas which are not surrendered to his Lord will soon be occupied again by the enemy" (p. 126). If Jesus Christ Himself is truly our Lord, then He will protect us from the lordship of others; but if our commitment is half-hearted, we may be asking for unnecessary problems.

Sixth, the occultly oppressed person must acknowledge and confess his participation in occult activity as sin, because such practices are sinful before God and require confession (Deuteronomy 18:9-12; 1 John 1:9). In addition, confession must be voluntary, or it is worthless. The purpose of confession is to bring into the light that which is occult (hidden, secret). Dr. Koch advises that confession be made in the presence of a mature Christian counselor. "Occultly oppressed people should, in fact, make an open confession of every single hidden thing in their lives in order to remove the very last foothold of the enemy" (p. 98). Further, "The confession of a subjected person should not only cover the occult, but also every other department of his life" (p. 99). In other words, nothing should be allowed to build up or develop which may give the devil an opportunity (Ephesians 4:27).

In addition, a prayer renouncing everything occult is important:

> In the normal way the thing that follows confession is absolution—the promise of the forgiveness of sins. In my counseling work among the occultly oppressed, however, I have found that I have had to

> abandon this sequence since the subjected person usually finds it impossible to grasp the fact that his sins have been forgiven. He is simply unable to believe. A barrier seems to lie in his way. I, therefore, always encourage the victim of occultism to pray a prayer of renunciation first of all (p. 99).

Further:

> In counseling the occultly oppressed, a prayer of renunciation is, however, of great significance. The question is "why?" Every sin connected with sorcery is basically a contract with the powers of darkness. By means of sorcery, the arch enemy of mankind gains the right of ownership over a person's life. The same is true even if it is only the sins of a person's parents or grandparents that are involved. The devil is well acquainted with the second commandment which ends, "for I the Lord your God am a jealous God, visiting the iniquity of the fathers upon the children to the third and the fourth generation of those who hate me" (p. 100).

The powers of darkness may continue to claim their "right" of ownership although often the descendants of occult practitioners remain unaware of the fact, perhaps since they have had no contact with sorcery themselves. Nevertheless, immediately after a person in this situation is converted, Satan makes his claim felt.

> In praying a prayer of renunciation, a person cancels Satan's right both officially and judicially. The counselor and any other Christian brothers present act as witnesses to this annulment of ownership. Although many modern theologians ridicule the whole idea, the devil is in earnest. Hundreds of examples could be quoted to show just how seriously he takes the matter. When the occult oppression is minimal, the person who has made his confession will have little difficulty in repeating a prayer of renunciation after the counselor. The prayer can take the form "In the name of Jesus, I renounce all the works of the devil together with the occult practices of my forefathers, and I subscribe myself to the Lord Jesus Christ, my Lord and Savior, both now and forever. In the name of the Father, and of the Son, and of the Holy Spirit. Amen."

> The prayer is not a formula. Every time it is prayed it can take a different form. In severe cases of oppression, on the other hand, a number of complications can arise when it comes to praying a prayer of renunciation (pp. 100-101).

For example, the person may be unable to bring his hands together to pray, or his lips or vocal chords may be unusable. He may fall into a trance when it comes to renouncing the devil. "What can we do in circumstances like this? One can either command the evil powers in the name of Jesus, or else call some other Christian brothers to join in praying for the subjected person" (p. 101). Renunciation may be followed by a remarkable change for the better. Nevertheless, "not everyone experiences such elated feeling after deliverance but the change of ownership is still valid no matter how one feels.... Renunciation is particularly important in cases where natives are converted out of a heathen background" (p. 102).

Seventh, it is vital to assure the individual that in Christ his sins have been forgiven, and that he now possesses an eternal salvation that cannot be taken from him. No matter how bad a person's sins may have been, they have been forgiven. Appropriate Scripture passages may be read such as John 5:24; 6:47; 19:30; Romans 5:20; Galatians 1:4; Ephesians 1:7,13,14; Colossians 1:14; 1 Peter 1:3-5,18,19; Hebrews 1:3; Isaiah 53:4-7; 1 Peter 2:24; 1 John 1:7-9; etc.

It is also to be recognized that counseling should involve teamwork. The support of other Christians, church elders, etc. is important. As Koch explains, "Counseling the occultly oppressed is really a matter of teamwork. The individual counselor is far too weak to take upon his own shoulders all the problems he meets" (p. 105). For example, people with occult subjection will often suffer their first attacks after they seek to follow Christ and serve Him. In other words, the battle often does not begin until a person receives Christ. Further, "there is a possibility that if a person puts too much of his own effort into trying to help the demonically oppressed that a transference will take place" (p. 105).

Eighth, prayer is another critical aspect of counseling. People who are delivered from the occult are still vulnerable even after being delivered. It is thus vital that a small group of Christians take upon themselves to continue to pray for them and care for them after their conversion. Sometimes Christians do not recognize how important this is. Many converted occultists have struggled tremendously because they could find no one in the church to help them.

> If necessary, the group need only consist of two Christians. They should meet together at least twice or three times a week for perhaps a quarter of an hour at a time in order to pray for the oppressed person. The best thing is for the subjected person to be present as well, yet this is not absolutely necessary. Neither is it essential for the oppressed person to have made an open confession before all the members of the group. This need only have been made before the counselor at the very start (p. 106).

When a person is delivered from occult oppression, it is also crucial that he grow as a Christian. He must really lay hold of the four basic spiritual elements comprising Christian discipleship: study in the Word of God, Christian fellowship, continuous prayer, and communion. Further, the new Christian must be grounded in the study of basic Christian doctrine and Christian evidences.

Sometimes those counseling the occultly oppressed will discover that the demons have returned into a person's life, and at this point, it seems the battle is greater.

> Very often one finds that the powers of darkness return when a person is liberated in a Christian atmosphere, and then has to return and live in an atmosphere of occultism and sorcery. This is frequently what happens in the case of young people from spiritistic families who are converted when away from home and later have to return and live in the demonically affected house of their parents (p. 119).
>
> People who have been delivered from occult oppression and yet have to return again and live in an occult or spiritistic atmosphere never find real and lasting peace. I usually find that I have to advise young people stemming from such environments, "Stay away from your parents—or from your uncle, aunt, or relation—if they are not prepared to forsake their occult practices and interests." This advice is not always appreciated, however. In fact, on occasions I have been actually rebuked for having given a person advice of this nature. Finally, repeating what we have just been saying, anyone who fails to act on all that the Bible says for our protection will live in continuous danger

> of falling victim once more to the influence of the exorcised spirits (p. 120).

No matter how difficult or how wearying the counseling of occultly oppressed people may be, the truth remains that the victory is won because of what Christ has accomplished (p. 124). Counselors need to believe God's promises and act in faith even in what seem to be hopeless situations. No situation is finally hopeless, for with God all things are possible. Further, the mere fact that a battle continues to rage is not evidence that the battle will be lost. Many times in biblical history and throughout church history, spiritual battles have been undertaken which have required great endurance, perseverance, patience, and faith. In the area of counseling those with occult oppression, and in the area of biblical demonology in general, there is much that is not known and, therefore, our reliance on Christ is all the more important. Finally:

> It is also very important to remember when counseling and caring for the occultly oppressed that this kind of counsel will only thrive in the right spiritual atmosphere. One must never look upon a person and his needs as just another "case," or as some new "sensation" or "object of investigation." True deliverance will never be forthcoming in an unscriptural atmosphere—even if the battle for the oppressed person appears to be very dramatic. We must be on our guard against every kind of excess, and above all against exhibitionism. Let us therefore be: Sound in our faith, Sober in our thoughts, Honest and scriptural in our attitude (p. 128).

Anyone who desires may receive Christ as his or her personal savior by saying the following prayer:

> Dear God: I confess before You that I am a sinner and that I cannot earn my own way to heaven. I thank You that You sent Christ to die on the cross for my sins. I now turn from my sin and receive Jesus as my personal Lord and Savior. I ask Him to come into my life and to help me to live for You. Amen.

Recommended Reading

Gary North, *Unholy Spirits: Occultism and New Age Humanism* (Dominion, 1986).
Merrill Unger, *Biblical Demonology* (Scripture Press, 1971).
Kurt Koch, *Occult Bondage and Deliverance* (Kregel, 1970).
John Warwick Montgomery, ed., *Demon Possession* (Bethany, 1976).
John Ankerberg, John Weldon, *Astrology: Do the Heavens Rule Our Destiny?* (Harvest House, 1989).
John Ankerberg, John Weldon, *The Facts on Spirit Guides* (Harvest House, 1988).
Doreen Irvine, *Freed From Witchcraft* (Nelson, 1973).
Russ Parker, *Battling the Occult* (InterVarsity, 1990), Chapters 7-11.

Notes

1. Nandor Fodor, *Encyclopedia of Psychic Science* (Secaucus, NJ: Citadel, 1974), p. 235.
2. See e.g., Joseph Millard, *Edgar Cayce: Mystery Man of Miracles* (Greenwich, CT: Fawcett, 1967), who correctly describes Cayce as a "puppet controlled by forces beyond human comprehension" (p. 73); cf., Gary North, *Unholy Spirits: Occultism and New Age Humanism* (Fort Worth, TX: Dominion Press, 1986), pp. 198-200.
3. Raphael Gasson, *The Challenging Counterfeit* (Plainfield, NJ: Logos, 1966), pp. 35-36.
4. Doreen Irvine, *Freed from Witchcraft* (Nashville, TN: Thomas Nelson, 1973), p. 130.
5. Ibid., pp. 103-107, 110-112, 130-131.
6. Ibid., p. 168.
7. Mircea Eliade, *Occultism, Witchcraft and Cultural Fashions* (Chicago, IL: The University Chicago Press, 1976), p. 69.
8. Colin Wilson, *The Occult: A History* (New York: Vintage Books/Random House, 1973), p. 456.
9. C. A. Burland, *Beyond Science* (New York: Grossett and Dunlap, 1972), p. 9.
10. Merrill F. Unger, *Demons in the World Today* (Wheaton, IL: Tyndale House, 1972), p. 18.
11. Arthur Lyons, *The Second Coming: Satanism in America* (New York: Dodd, Mead, 1970), pp. 3, 5; cf. his *Satan Wants You: The Cult of Devil Worship in America* (New York: Mysterious Press, 1988), and Ted Schwarz, Duane Empey, *Satanism: Is Your Family Safe?* (Grand Rapids, MI: Zondervan, 1988).
12. Maury Terry, *The Ultimate Evil: An Investigation into America's Most Dangerous Satanic Cult* (Garden City, NY: Dolphin/Doubleday, 1987), p. 511.
13. Numerous polls have been conducted over the last two decades; contact the Gallup, Roper, and the University of Chicago's National Opinion Research Council organizations, respectively.
14. This was a national poll conducted by the University of Chicago's National Opinion Research Council; see the report in Andrew Greeley, "Mysticism Goes Mainstream," *American Health*, January-February 1987.
15. Katherine Lowry, "Channelers: Mouth Pieces of the Spirits," *Omni*, October 1987, p. 22.
16. Jon Klimo, *Channeling: Investigations on Receiving Information from Paranormal Sources* (Los Angeles, CA: Jeremy P. Tarcher, 1987), p. 1.
17. Cited in *Christianity Today*, November 17, 1989, p. 50.
18. John Keel, *UFO's: Operation Trojan Horse* (New York: G. P. Putnam's Sons, 1970), pp. 215, 299.
19. Whitley Strieber, *Communion: A True Story* (New York: Beech Tree Books/William Morrow, 1987), pp. 14-15.
20. *The Oxford American Dictionary* (New York: Avon, 1982), p. 617.
21. Philip B. Gove, ed., *Webster's Third New International Dictionary*, unabridged (Springfield, MA: Merriam-Webster, 1981), p. 1560.
22. "Occult," in *Encyclopedia Britannica*, Micropaedia, Volume 7, p. 469.
23. Ron Enroth, "The Occult," in Walter A. Ellwell, ed., *Evangelical Dictionary of Theology* (Grand Rapids, MI: Baker, 1984), p. 787.
24. Michael Harner, *The Way of the Shaman* (New York: Bantam, 1986), p. 54.
25. Mircea Eliade, *Shamanism: Archaic Techniques of Ecstasy* (Princeton, NJ: Bollingen/Princeton University Press, 1974); see the comments by Dr. Robert S. Ellwood, Jr. in *Religious and Spiritual Groups in Modern America* (Englewood Cliffs, NJ: Prentice-Hall, 1973), "The [recent] cult phenomena could almost be called a modern resurgence of Shamanism," p. 10; also Tal Brooke, *Riders of the Cosmic Circuit: Rajneesh, Sai Baba, Muktananda . . . God's of the New Age* (Batavia, IL: Lion, 1986); cf. Mircea Eliade, *From Primitives to Zen: A Thematic Source Book of the History of Religions* (New York: Harper and Row, 1977).
26. Sayed Idries Shah, *Oriental Magic* New York: E. P. Dutton, 1973), p. 123.
27. Louis Jacolliot, *Occult Science in India and Among the Ancients* (New Hyde Park, NY: University Books, 1971), p. 201.

28. Ibid., p. 204.
29. Jess Stearn, *Adventures into the Psychic* (New York, Signet, 1982), p. 163.
30. Irvine, *Freed from Witchcraft*, p. 96.
31. Ibid., p. 123.
32. Ibid., p. 7.
33. Charles Panati, *Supersenses* (Garden City, NY: Anchor/Doubleday, 1976), p. 102.
34. George W. Meek, "The Healers in Brazil, England, U.S.A., and U.S.S.R.," in George W. Meek, ed., *Healers and the Healing Process: A Report on Ten Years of Research by Fourteen World Famous Investigators* (Wheaton, IL: Theosophical/Quest, 1977), p. 32.
35. Jeanne Pontius Rindge, "Perspective—A Overview of Paranormal Healing," in Meek, ed., *Healers and the Healing Process*, p. 17.
36. Hans Naegeli-Osjord, "Psychiatric and Psychological Considerations," in Meek, ed., *Healers and the Healing Process*, p. 80.
37. Danny Korem, "Waging War Against Deception," *Christianity Today*, April 18, 1986, p. 32.
38. Robert A. Morey, *Reincarnation And Christianity* (Minneapolis, MN: Bethany, 1980), p. 25.
39. Satprem, trans. from the French by Tehmi, *Sri Aurbindo, or The Adventure of Consciousness* (New York: Harper and Row, 1968), p. 199.
40. Guy L. Playfair, *The Unknown Power* (New York: Pocket Books, 1975), p. 240, cf. pp. 253-254; Clifford Wilson, John Weldon, *Psychic Forces and Occult Shock* (Chattanooga, TN: Global, 1987), Chapter 30.
41. Kurt Koch, *Christian Counselling And Occultism: The Counselling of the Psychically Disturbed and Those Oppressed Through Involvement in Occultism* (Grand Rapids, MI: Kregel, 1978), p. 181; cf., Kurt Koch, *Satan's Devices* (Grand Rapids, MI: Kregel, 1980), p. 162.
42. Robert A. Monroe, *Journeys Out of the Body* (Garden City, NY: Anchor/Doubleday, 1973), pp. 138-139.
43. Samuel M. Warren, *A Compendium of the Theological Writings of Emmanual Swedenborg* (New York: Swedenborg Foundation, 1977), p. 618.
44. Victor Ernest, *I Talked with Spirits* (Wheaton, IL: Tyndale, 1971); Raphael Gasson, *The Challenging Counterfeit* (Plainfield, NJ: Logos, 1970); Ben Alexander, *Out From Darkness: The True Story of a Medium Who Escapes the Occult* (Joplin, MO: College Press, 1986); Johanna Michaelsen, *The Beautiful Side of Evil* (Eugene, OR: Harvest House, 1982); cf. Merrill Unger, *The Haunting of Bishop Pike* (Wheaton, IL: Tyndale, 1971).
45. Personal correspondence from Brooks Alexander, January 25, 1985.
46. e.g., Malachi Martin, *Hostage to the Devil: The Possession and Exorcism of Five Living Americans* (New York: Bantam, 1977), pp. 521-530.
47. John Ankerberg and John Weldon, *The Facts on Spirit Guides* (Eugene, OR: Harvest House, 1988), pp. 38-41.
48. Henry Griss, William Dick, *The New Soviet Psychic Discoveries: A Firsthand Report on the Latest Breakthroughs in Russian Parapsychology* (Englewood Cliffs, NJ: Prentice-Hall, 1978), pp. 28-31.
49. Aleister Crowley, *Magic in Theory and Practice* (New York: Castel, n.d.), pp. 127, 152-153, from North, *Unholy Spirits*, p. 286; Leslie A. Shepherd, *Encyclopedia of Occultism and Parapsychology*, Vol. 1 (Detroit, MI: Gale Research Company, 1979), p. 203; cf. J. Symonds, K. Grant, *The Confessions of Aleister Crowley* (New York: Bantam, 1971), pp. 575-576.
50. Kurt Koch, *Satan's Devices*, p. 238.
51. Kurt Koch, *Between Christ and Satan* (Grand Rapids, MI: Kregel, 1976), p. 102.
52. For Arigo: John G. Fuller, *Arigo: Surgeon of the Rusty Knife* (New York: Pocket Books, 1975), p. 237; For Gurdjieff: J. G. Bennett, *Gurdjieff: Making a New World* (New York: Harper & Row, 1973), p. 160; For Gurney: D. Scott Rogo, *Parapsychology: A Century of Inquiry*, p. 66; For Branham: William Branham, *Footprints on the Sands of Time: The Autobiography of William Marion Branham* (Jeffersonville, IN: Spoken Word, 1976), p. 705; For Rudrananda: Da Free John (his disciple), *The Enlightenment of the Whole Body* (Middletown, CA: Dawn Horse Press, 1978), p. 14.
53. For Garrett's parents: Norma Bowles, Fran Hynds, *Psi-Search* (New York: Harper & Row, 1978), p. 89; For Krishnamurti and Nityananda: Mary Lutyens, *Krishnamurti: The Years of Awakening* (New York: Avon, 1976), p. 347.
54. For Wedgewood: Lutyens, *Krishnamurti: The Years of Awakening*, p. 308; John Weldon, *The Hazards of Psychic Involvement*, ms., 1988.
55. Kurt Koch, *Satan's Devices*, p. 188.
56. Kurt Koch, *Christian Counselling and Occultism*, p. 184.
57. Ibid., pp. 187-188.
58. Merrill Unger, *Demons in the World Today*, p. 95.
59. Ibid., p. 50.
60. John Warwick Montgomery, *Principalities and Powers: The World of the Occult* (Minneapolis, MN: Bethany, 1973), p. 149.
61. e.g., Bhagwan Shree Rajneesh, "Suicide or Sannyas," *Sannyas*, March-April 1978, No. 2, pp. 26-33; cf., Rajneesh, "Who Is the Master?" *Sannyas*, July-August 1980, No. 4, pp. 33.

62. Kelsey, *The Christian and the Supernatural*, p. 41.
63. Sri Chinmoy, *Astrology, The Supernatural and the Beyond* (Jamaica, NY: Agni Press, 1973), pp. 94-95.
64. Carl A. Wickland, *Thirty Years Among the Dead* (Van Nuys, CA: New Castle Publishing, 1974), p. 29.
65. Ibid., p. 8.
66. Ibid., p. 132.
67. Ibid., p. 17.
68. Ibid., p. 116.
69. Kurt Koch, *Occult Bondage and Deliverance* (Grand Rapids, MI: Kregel, 1970), p. 31.
70. Kurt Koch, *Demonology Past and Present* (Grand Rapids, MI: Kregel, 1973), pp. 41-42.
71. Anita Muhl, *Automatic Writing: An Approach to the Unconscious* (New York: Helix Press, 1963), pp. 51.
72. As reported in John Dart, "Peril in Occult Demonic Encounters Cited," *Los Angeles Times*, December 30, 1977.
73. C. Fred Dickason, *Demon Possession and the Christian: A New Perspective* (Chicago, IL: Moody Press, 1987), p. 37.
74. Irvine, *Freed from Witchcraft*, p. 138.
75. Ankerberg, Weldon, *The Facts on Spirit Guides*, passim.
76. M. Scott Peck, *People of the Lie: The Hope for Healing Human Evil* (New York: Simon and Schuster, 1983), p. 190.
77. Montgomery, *Principalities and Powers*, p. 146.
78. Erika Bouguignon, ed., *Religion, Altered States of Consciousness and Social Change* (Columbus, OH: Ohio State University Press, 1973), pp. 16-17, Table 2.
79. Martin Ebon, *The Devil's Bride: Exorcism Past and Present* (New York: Harper and Row, 1974), p. 11.
80. Ibid., p. 12.
81. John S. Mbiti, *African Religions and Philosophy* (New York: Anchor/Doubleday, 1970), p. 106.
82. e.g., Martin, *Hostage to the Devil*, passim; John Warwick Montgomery, ed., *Demon Possession* (Minneapolis, MN: Bethany, 1976); John L. Nevius, *Demon Possession* (Grand Rapids: MI, Kregel, 1970); T. K. Oesterreich, *Possession: Demonical and Other Among Primitive Races in Antiquity, The Middle Ages and Modern Times* (Secaucus, NJ: Citadel, 1974); Articles on mediumism and related subjects in Shephard, ed., *Encyclopedia of Occultism and Parapsychology*; I. M. Lewis, *Ecstatic Religion: An Anthropological Study of Spirit Possession and Shamanism* (Baltimore, MD: Penguin Books, 1975).
83. Conway, *Magic: An Occult Primer*, pp. 130-132.
84. Unger, *Demons in the World Today*, p. 28; cf. p. 72.
85. Ibid., p. 99, citing Brad Steiger, *Sex and Satanism* (New York: Ace, 1969).
86. Irvine, *Freed from Witchcraft*, pp. 90-91, 96.
87. e.g., Conway, *Magic: An Occult Primer*, pp. 127-133.
88. Bhagwan Shree Rajneesh, *The Book of the Secrets: Discourses on "Vigyana Bhairava Tantra,"* Vol. 1 (New York: Harper Colophon, 1977), pp. 22, 36-37.
89. Ibid., p. 399; cf. Rajneesh, *The Mustard Seed* (New York: Harper and Row, 1975), p. 69.
90. F. Max Muller, trans., *The Upanisads*, Part 1 (New York: Dover, 1962); citing *Kaushitaki Upanishad* 3: 1,2.
91. A. C. Bhaktivedanta Swami Prabhupada, *Bhagavad-gita As It Is: Complete Edition* (New York: Collier, 1973).
92. Maharishi Mahesh Yogi, *On the Bhagavad-Gita: A New Translation and Commentary* (Baltimore, MD: Penguin, 1974), p. 76.
93. Charles Manson, letter to the editor, *Radix*, November-December, 1976, p. 2.
94. Vincent Bugliosi, *Helter Skelter* (New York: Bantam, 1975), p. 624; "Charles Manson: Portrait in Terror," February 16, 1976, Channel 7, KABC-TV, Los Angeles, 11:30 p.m.; description by Bugliosi.
95. Mircea Eliade, *Yoga, Immortality and Freedom* (Princeton, NJ: Princeton University Press/Bollingen, 1973), p. 263.
96. Ibid., p. 205, cf. pp. 205-207.
97. Eliade, *Occultism, Witchcraft, and Cultural Fashions*, p. 71.
98. For example, the accused witch Sarah Aldrete and a homosexual occultist named Constanzo were alleged by police authorities to be involved in at least 15 known human sacrifices and possibly scores of other murders near the Texas border with Mexico.
99. Cited by Margaret Gaddis, "Teachers of Delusion," in Ebon, ed., *The Satan Trap: Dangers of the Occult*, p. 57.
100. For Ramirez, *Los Angeles Times*, October 24, 1985; for Berkowitz, Maury Terry, *The Ultimate Evil*; cf. *The Fortean Times*, Summer 1980, p. 34.
101. Dr. Sondra O'Neale, *King City: Fathers of Anquish, Children of Blood: The True Story Behind the Atlanta Murders* (unpublished; copy on file). At the time of her writing, Dr. O'Neale was a professor at Emory University in Atlanta.
102. Cited in *Christianity Today*, December 15, 1978, p. 38.

103. Kurt Koch, *Between Christ and Satan*, p. 81; Joan Halifax-Grof, "Hex Death," *Parapsychology Review*, October 1974; n.a., *Demon Experiences in Many Lands: A Compilation* (Chicago, IL: Moody Press, 1978), p. 22; Mike Warnke, *The Satan Seller* (Plainfield, NJ, Logos, 1972), p. 66; Eliade, *Shamanism: Archaic Techniques of Ecstasy*, p. 106.
104. "The Devil Worshippers," transcript from "20/20," May 16, 1985.
105. Terry, *The Ultimate Evil*, p. 512.
106. Nigel Davies, *Human Sacrifice in History and Today* (New York: William Morrow, 1981); Alastair Scolri, *Murder For Magic: Witchcraft in Africa* (London: Cassell & Co., 1965); R. C. Zaehner, *Our Savage God: The Perverse Use of Eastern Thought* (New York: Sheed & Ward, 1974); Larry Kahaner, *Cults That Kill: Probing the Underworld of Occult Crime* (New York: Warner, 1988); M. Paul Dove, *Indian Underworld* (New York: E.P. Dutton & Co., 1940).
107. Richard Cavendish, *The Black Arts* (New York: G.P. Putnam & Sons, 1967), pp. 247, 249.
108. Ma Satya Bharti, *Death Comes Dancing* (London: Rutledge, Kegan Paul, 1981), p. 52.
109. Carl A. Raschke, "Satanism and the Devolution of the 'New Religions,'" *SCP Journal*, Fall 1985; Patricia Weaver, "Ritual Abuse, Pornography, and the Occult," *SCP Newsletter*, Vol. 14, No. 4; Gary North, "Magic, Envy, and Foreign Aid" in *Unholy Spirits*, pp. 273-288.
110. Brochure, North American Conferences, San Demas, CA, cf. Cultural Hermeneutics Project, "Summit on Satanism," Glorieta Baptist Conference Center, Glorieta, NM, October 31–November 4, 1990; *Minnesota Police Chief*, September 1989, pp. 33-45, provides an illustration of how police departments are now recognizing the relationship between certain occult practices and criminal activity.

- ❖ **Verifique que todo el mundo esté cómodo (incluso usted).** Todo niño a quien se le lea deberá poder ver el libro con facilidad.
- ❖ **Anime a los niños a usar las ilustraciones para describir lo que está pasando en el cuento.** "¿Adónde están los niños? ¿Qué creen que le pasará a la niña ahora que comenzó a llover?".
- ❖ **Deténgase en la lectura y deles tiempo para que anticipen las próximas palabras.** Esto funciona especialmente bien cuando usted lee rimas o cuentos conocidos con palabras y frases que se utilizan muchas veces. A los caminadores les encantan los juegos de palabras o involucrarse en las historias.
- ❖ **De vez en cuando sáltese una frase predecible o una parte de un cuento conocido.** A los caminadores les encanta corregir a los adultos y hacer que se les lea de nuevo la historia "correcta". Usted obtendrá la misma reacción si altera el orden de algunas palabras o si juega con ellas de manera graciosa.
- ❖ **Responda a las pistas verbales y no verbales acerca de las ilustraciones.** Haga preguntas como: "¿Qué estás señalando? ¿Qué crees que vaya a decir la mamá sobre los espaguetis en el cabello del bebé?".
- ❖ **Relacione las historias de los cuentos con las vidas de los niños.** "¿Gena, ¿has ido en tu silla de ruedas a sitios interesantes como la niña de la historia?".
- ❖ **Si los niños son receptivos, trate de leerles un libro completo.** Los niños pueden ser capturados por el ritmo de las palabras y el desarrollo de la trama. Usted aprenderá rápidamente qué libros captan la atención infantil y quiénes están listos para sentarse y escuchar un cuento completo.
- ❖ **Anime a los niños a reflexionar sobre el cuento.** "¿Alguna vez habías visto a un mono como George? ¿Todo el mundo usa el inodoro portátil?".
- ❖ **Prepárese para leer la misma historia una y otra vez.** Los niños tienen preferencias y no se cansan nunca de escucharlas diariamente.

Quizá para lo que más se presten las experiencias con los libros sea hacer parte de las rutinas diarias de la vida infantil. Si tiene dificultades para lograr que un niño se calme y tome una siesta, podría recitar los mensajes de buenas noches a los objetos a su alrededor como en el libro *Buenas noches luna* de Margaret Wise Brown.

Leer libros y compartir el gusto por el lenguaje y las historias es uno de los regalos más importantes que podrá brindarle a los niños de cero a tres años. Aquellos niños a quienes se les lee con regularidad adquieren un cimiento que los aprestará a la lectura, lo que les ayudará a tener éxito en la escuela. El amor por los libros perdurará por el resto de la vida, enriqueciendo las experiencias y expandiendo la imaginación y los sueños.

leas sobre el placer de los cuentos y los libros

ıias:

do está de acuerdo con que los libros son esenciales en la educación infantil. ı ustedes que nunca es demasiado pronto para presentarles libros a los niños? es de aprender a leer, ellos necesitarán saber cómo son los sonidos del lenguaje, ncadena una historia y cómo "funcionan" los libros.

¡Incluso los niños más pequeños se benefician a partir de las historias que se les leen! Los niños que aprenden a amar los libros desde temprana edad muy probablemente se convertirán en aprendices exitosos y en ávidos lectores por el resto de sus vidas. En nuestro programa, tenemos libros maravillosos y leemos con ellos diariamente.

Lo que ustedes pueden hacer en el hogar

Lo más importante que ustedes pueden hacer para que sus hijos desarrollen el gusto por los libros, es leer con ellos todos los días. Aunque las palabras que les lean sean importantes, tal como lo son la historia y las ilustraciones, lo más importante, es destinar tiempo a leerles en voz alta a sus hijos, pues esto les demuestra cuánto valoran ustedes esta actividad. Más aún, estos momentos juntos —o bien como parte de un ritual a la hora de dormir, o un momento de pereza el fin de semana— pueden convertirse en recuerdos valiosos para ambos.

Las siguientes son unas cuantas sugerencias de lo que podrían hacer cuando lean:

- *Esperen hasta captar la atención del niño para comenzar.* Así estimularán la concentración en las palabras y las ilustraciones.
- *Animen a los niños a seguir las imágenes a medida que les lean.* Hagan uso de las ilustraciones para formularles preguntas como: "¿Adónde está el hueso del perro?". Además, podrían basarse en los gestos, sonidos y palabras de sus hijos: "Si, esa es la abuelita del bebé, como la nona María".
- *Estén preparados para detenerse en cualquier momento.* No se debe forzar a los niños a permanecer quietos mientras se les lee. A veces, los pequeños prefieren hacer algo más activo. Cuando los niños parezcan no estar interesados, es mejor detenerse.

Nos encantaría recomendarles algunos libros que sus hijos podrían disfrutar. (También podrían consultar en la biblioteca local para que les ayuden a escoger). Permítannos saber cuáles libros prefieren sus hijos para que podamos obtener copias. Y, nos encantaría que grabaran una cinta cuando les lean sus historias favoritas para que, después, ellos puedan escucharlas aquí. Déjennos saber si podemos ayudarles con la grabación.

Juntos, podremos ayudar a sus hijos para que se conviertan en ávidos lectores por el resto de su vida.

Les saluda atentamente,

Capítulo

20

Probar y preparar comida

—■—

"Hoy vamos a preparar una merienda deliciosa", les anuncia La Toya a los niños de la guardería infantil en su hogar. "¡Y tenemos zanahorias de nuestro propio jardín! Después de limpiarlas con el cepillo, podremos probar la comida sembrada en casa". La Toya le pide a Valisha que le ayude a poner los cepillos para limpiar las verduras y los tazones con agua en las bandejas frente a cada niño y le permite a cada niño tomar dos zanahorias para limpiarlas. Al Jonisha mostrar una zanahoria, para que todos los niños vean lo limpia que le quedó, La Toya levanta la mano y la felicita.

—■—

Cuando usted invite a los niños a explorar o a probar alguna nueva comida, o como hace La Toya, a ayudarle a preparar una merienda, estará alimentando no sólo sus cuerpos. La comida, al igual que la conversación y las actividades que la rodean, también alimentan la mente, evocando sensaciones de seguridad, familia y hogar. Además, proporcionan abundantes experiencias sensoriales que garantizan el deleite de todo niño curioso y fomentan el desarrollo de la motricidad fina, así como de la coordinación ojo-mano.

Si se trabaja con niños de cero a tres años, probar y preparar comida es parte de la vida cotidiana. Ellos van conociendo los sabores y texturas de distintos cereales, frutas y verduras a medida que usted y sus familiares les van dando a probar nuevos alimentos. Poco a poco, comienzan a expresar sus preferencias personales y, cuando menos se piensa, ya aprendieron los nombres de los distintos alimentos. En un principio, lo que más les interesa es apretar, aplastar y embadurnarse la comida. Sin embargo, en poco tiempo estarán ansiosos de poder ayudar a preparar algunos de los alimentos que se comen. Ya sea que limpien una zanahoria o que sumerjan una rebanada de manzana en queso fundido, los niños disfrutarán y se sentirán orgullosos de ayudarle a usted en una tarea necesaria de la "vida real".

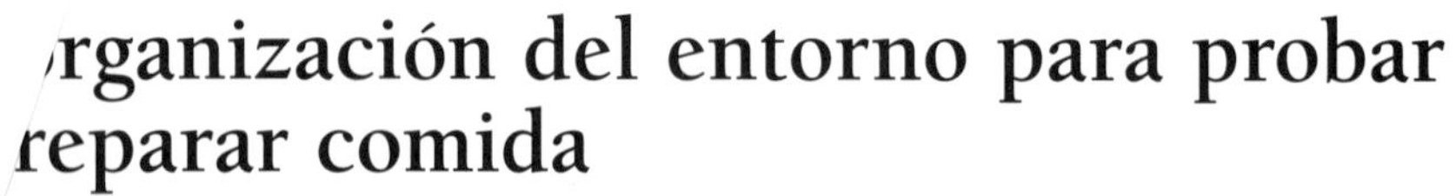

,rganización del entorno para probar ,reparar comida

, de preparar el terreno para las experiencias con comida, haga los cambios que necesario para garantizar la salud y la seguridad infantil. Pensando en el bien-.ar de ellos, piense en los ajustes que podría hacerle al entorno para minimizar la ,pera y la confusión, así como para maximizar el sentido de capacidad y logro de .os niños.

"¿Qué medidas de seguridad debo tomar?"

Las experiencias de preparar comida que impliquen el uso de utensilios y aparatos para adultos requieren de supervisión estricta. Sin embargo, si se toman unas cuantas medidas preventivas, se prevendrán muchos posibles problemas. Por ejemplo, si se escojen materiales irrompibles se estará evitando que los incidentes puedan convertirse en accidentes (un tazón de plástico que se caiga podrá provocar un reguero, pero el plástico no corta ni se queda en la comida como lo harían los fragmentos de vidrio o porcelana). También es conveniente guardar en un sitio fuera del alcance de los niños los aparatos para adultos como las batidoras o cualquier cosa con una instalación eléctrica.

Otra medida de prevención es hacer que el área donde vaya a cocinar sea "a prueba de niños"; especialmente, si es una cocina. Cubra las tomas eléctricas cuando no estén siendo usadas; igualmente, cubra o asegure las perillas de la estufa y oculte o retire los cables eléctricos. (Para información más detallada sobre cómo cerciorarse de que el ambiente sea seguro, consulte el Capítulo 8, "Cómo garantizar la seguridad infantil").

Finalmente, en toda experiencia de degustación y preparación de comida siempre existe la posibilidad de que, a pesar de todas las precauciones, algún niño llegue a asfixiarse. Como es difícil pensar con claridad en medio de una emergencia, es buena idea pegar en el sitio donde vaya a cocinar con los niños, los procedimientos para dar primeros auxilios en caso de asfixia.

"¿Hay asuntos de salud que deba tener en cuenta?"

Según los Centros para el Control de las Enfermedades, cada año uno de cada diez estadounidenses padece enfermedades relacionadas con la comida (generalmente vómito, diarrea y fiebre). Por lo tanto, usted deberá prestarle atención a este aspecto cuando planee actividades culinarias para niños de cero a tres años. Esto quiere decir que hay que refrigerar toda la comida perecedera (carnes de res, ave y pescado; lácteos, huevos, mayonesa) y no dejarla por fuera del refrigerador más de una hora; lavarse bien las manos antes de preparar comida; no volver a poner en el tazón la cuchara con que se pruebe lo que se prepara; evitar el uso de huevos crudos (en masa para pastel o galletas); así como lavar los utensilios, las tablas de cortar y las manos después de tocar carne, pollo o huevos crudos. Familiarícese con los asuntos relativos a la salud descritos en el Capítulo 9, "Cómo propiciar la salud infantil".

Al presentarle a los niños distinta comida por primera vez, siga la orientación ofrecida en el Capítulo 13, "La comida y la hora de comer". Involucre a los padres de familia y, gradualmente, deles a conocer las nuevas comidas. Los niños necesitarán tomarse su tiempo (generalmente se recomiendan cinco días) para acostumbrarse al sabor y a la sensación de comidas distinta y también para poder garantizar que los niños no presentan señales de reacción alérgica.

"¿Qué cambios debo hacerle al entorno para incluir en mi programa actividades culinarias ?"

Para las experiencias de degustación no debe ser necesario efectuar ningún cambio al entorno de su guardería puesto que la comida ya hace parte de las rutinas diarias. Para las actividades culinarias especiales, tal vez sea deseable hacer algún ajuste, Sin embargo, no se preocupe si no tiene acceso a una cocina. En muchos aspectos, será más fácil crear un espacio propio para cocinar, ya que todo lo que haya allí deberá ser seguro y accesible a los niños. Por ejemplo, si la casa no tiene horno grande, un horno eléctrico pequeño, una sartén eléctrica o una paila servirán perfectamente. A continuación, le ofrecemos algunas ideas para adecuar su programa a las actividades culinarias.

Tenga mesas y asientos para niños. Para disfrutar a plenitud la experiencia de preparar comida, los niños deberán poder trabajar, moverse y observar libremente. Una mesa para niños puede usarse tanto como lugar de trabajo como para comer. Las sillas permiten que los niños se sienten mientras alguien más hace el trabajo, haciendo así que la actividad sea más ordenada. Se puede incluir a los bebés acercando sus sillas a la mesa.

Seleccione y utilice utensilios que los niños puedan explorar y utilizar por sí mismos. En la medida de lo posible, trate de que los niños comiencen a utilizar utensilios y aparatos reales y no de juguete. Los aparatos y utensilios de verdad no sólo hacen que la experiencia sea más auténtica sino que son menos frustrantes que los de juguete que no están hechos para el trabajo de verdad. Por seguridad, use utensilios de plástico, de caucho o irrompibles. Entre los que pueden usar los niños se encuentran las cucharas de palo, las tazas de plástico para medir, los cepillos para lavar verduras y los prensapapas. Cualquier utensilio o aparato que pueda ser peligroso y que se use en alguna actividad culinaria especial, deberá mantenerse fuera del alcance de los niños.

Guarde los aparatos y utensilios seguros en estantes bajos. Si los materiales se guardan en anaqueles bajos, los niños podrán tomar lo que necesitan por sí mismos. Los rótulos con imágenes muestran dónde colocar estos materiales para que así ellos puedan ayudar a ordenar después de la actividad.

Mantenga duplicados de los utensilios que usen los niños para preparar comida al jugar a hacer de cuenta. Esto evitará que los niños tengan que esperar, permitiéndoles recrearse y extender sus experiencias culinarias.

Mantenga camisones para los cocineros. De esta forma, los niños estarán libres para ser creativos sin temor a mancharse ellos o su ropa. Si no dispone de camisones, usted o los padres de familia podrán confeccionarlos muy fácilmente a partir de camisas viejas o retazos de trapo.

Guarde los utensilios de limpieza cerca para poder alcanzarlos fácilmente. Invite a los niños a que le ayuden a limpiar los regueros que seguramente ocurrirán.

"¿Cómo puedo lograr que la preparación de comida con los gateadores y caminadores sea una experiencia exitosa?"

Los gateadores y los caminadores son, por definición, personitas que "meten la mano" y si lo que usted trata de organizar es una actividad de preparar comida, eso puede resultar todo un desafío. He aquí algunas sugerencias para ayudarle a minimizar la confusión, tanto de los niños como suya.

Limite el número de niños. Invite a un solo niño o a un grupo no mayor de tres o cuatro a cocinar con usted para minimizar así la confusión y garantizar que todos tengan oportunidad de participar. Si la cocina es una actividad habitual y sólo una opción entre otras varias, ellos aprenderán pronto que si hoy no cocinan, mañana lo harán.

Reúna todos los ingredientes y utensilios antes de comenzar para así poder concentrarse en los niños, donde deberá centrar toda su atención.

Mantenga el tiempo de espera a un mínimo. Se puede reducir el tiempo de espera cerciorándose de que los niños tengan siempre una tarea. Por ejemplo, si un niño está revolviendo, el otro le puede estar sosteniendo el tazón.

Comunique las reglas con claridad y en términos positivos. Por ejemplo, diga: "las cucharas de palo son para revolver". De manera amable pero con firmeza recuérdele la regla a algún pequeño que esté utilizando la cuchara para molestar a otro niño, en vez de revolver la mezcla de los muffins.

Haga tarjetas con imágenes o ilustraciones. A manera de preparación para la lecto-escritura, use imágenes para ilustrar los pasos de cocina. Las imágenes sobre tarjetas u hojas de papel que puedan laminarse, ayudarán a los niños a visualizar los pasos que seguirán durante la experiencia culinaria. Por ejemplo, una tarjeta podría mostrar un dibujo de unas manos en proceso de lavarse; otra, una imagen de un cuchillo ancho untando salsa de manzana sobre una galleta de soda. Asimismo, estas tarjetas ilustradas le ayudarán a los niños a revisar y revivir las experiencias culinarias que hayan tenido.

Invite a los niños a probar y preparar comida

Las experiencias de degustación son parte de la vida diaria en los ambientes de cuidado infantil. Su papel es resaltarlas de modo que, según los intereses y capacidades que observe en cada niño, puedan serles de provecho. Recuerde que no tendrá que esforzarse mucho para animar a los niños a participar, ya que la comida es siempre algo interesante, generalmente sabe bien y, quizá lo más importante de todo, es que reune a la gente para reír, hablar, degustar y disfrutar de la mutua compañía.

Los bebés

Las experiencias con los bebés más pequeños consisten primordialmente en saborear y fortalecer relaciones que ocurren a lo largo del día naturalmente cuando un niño come. Cuando Linda sostiene a Julio y le da el biberón, él está saboreando la leche, pero aún más importante, se está sintiendo seguro.

Cuando Janet le brinda a Jasmine la oportunidad de explorar su comida y conversa con ella sobre lo que esté sucediendo aprovecha la oportunidad que le brinda el aparente interés de Jasmine por las palabras, para enseñarle los nombres de los alimentos y los utensilios. Ella podría decirle, por ejemplo:

> "Tienes dificultad para recoger la salsa de manzana porque es muy resbalosa" o "Te encanta el sabor de ese banano blandito, ¿cierto?".

A los bebés les encantará integrarse mientras usted "cocina" con otros más grandecitos. Dependiendo de la edad y el nivel de destrezas, podrán disfrutar de las imágenes, los olores y los sonidos de las actividades de preparar comida —ya sea subidos sobre una mochila, en sus rodillas o en una silla para bebés— e incluso, comenzar a participar en algunas de las actividades descritas en la siguiente sección.

Los gateadores

Además de las experiencias de degustación, a los gateadores les encanta participar en la preparación de sus propias meriendas y comidas. Entre las actividades apropiadas para los niños de esta edad se incluyen agitar, esparcir, mojar y aplastar. Entre los ejemplos se encuentran los siguientes:

- espolvorear queso rallado sobre macarrones o purés de verduras (calabaza, habichuela, arveja, zanahoria, remolacha, coliflor o calabacín);
- echarle cubitos de queso al arroz o puré de papas;
- esparcir salsa de manzana sobre pan o tostadas;
- echarle canela molida al queso cottage, yogurt, cereal cocinado o puré de manzana;
- mojar en yogurt trozos de banano o de pera o manzana hervida;
- mezclar queso cottage con macarrones, o kasha (trigo sarraceno tostado) con corbatines de pasta; y
- mezclar salsas para meriendas usando queso rallado o especias (como canela o nuez moscada en polvo) con crema agria, yogurt o puré de garbanzos.

Al hablar con los gateadores sobre lo que hacen fortalecerá su relación con ellos, realzará el desarrollo del lenguaje y les ayudará a desarrollar el pensamiento.

> "Veamos si puedes revolver la leche con el pudín de chocolate en polvo para que quede todo mojado".
>
> "Vamos a ver qué le pasa al aguacate si lo aplastamos. Vamos a usar el aguacate para hacer una salsa llamada guacamole. ¿Se acuerdan cuando la tía Rosita nos trajo un poco una vez para comer?".
>
> "Abby, ¿me pasas por favor el prensapapas para hacer el puré del almuerzo? Ven acá y te muestro cómo funciona".

Los caminadores

Los caminadores pueden participar activamente en la preparación de la comida. Según los intereses y capacidades de cada niño, usted podrá planear actividades que impliquen *esparcir, verter, rebanar, batir, apretar y aderezar,* como:

- preparar pasabocas de merienda con rebanadas de pepino o galletas de soda o trozos de tostadas como base y queso cottage u otra clase de queso o trozos de fruta como complemento;
- usar un cuchillo de plástico o espátula pequeña para esparcir puré de manzana (o de otras frutas) sobre galletas, pan o tostadas;
- revolver los ingredientes para el cereal caliente y verter leche o miel sobre el plato terminado;

- ❖ batir huevos en un plato hondo;
- ❖ mojar rebanadas de pan en una mezcla de huevos batidos, canela y leche para hacer tostadas francesas;
- ❖ raspar papas o camotes y aplastarlos después de cocinarlos;
- ❖ mezclar gelatina en agua para hacer figuras temblorosas;
- ❖ exprimir limones y naranjas para hacer jugo;
- ❖ quitarle las puntas a las habichuelas;
- ❖ desvainar arvejas; y
- ❖ servir la comida en forma atractiva en un plato, una bandeja o una mesa.

Bárbara, Mercedes, Iván y La Toya amplían las experiencias culinarias haciéndoles preguntas que les hacen reflexionar sobre el proceso. Considere los siguientes casos.

"¿En que se diferencian este puré de banano y este banano entero?"

"¿Recuerdas qué más horneamos en este molde?"

"¿Cómo crees que podamos abrir esta vaina de arvejas?"

"¿Qué fue lo que más te gustó de preparar la merienda?"

Cómo conseguir ideas para las actividades culinarias

¿Dónde se puede obtener ideas para las actividades culinarias con los niños? Comience con las comidas y las meriendas que usted les sirva. Después piense en cómo podría hacer que ellos participen en la preparación. Para empezar, son buenas las preparaciones con pocos pasos y que requieran solo destrezas físicas elementales como mojar, sacudir o aplastar. A medida que el dominio de la motricidad fina vaya mejorando, podrá añadir destrezas más complejas como verter, esparcir y apretar.

Para proyectos especiales, tal vez quiera consultar algunos de los libros editados para cocinar con niños. Unas palabras de advertencia: la mayoría de los libros de cocina para niños que se venden están hechos para preescolares y niños mayores. Más aún, algunos de los que afirman ser para niños de cero a tres años muchas veces resultan muy difíciles para estos jóvenes cocineritos o incluyen recetas poco apro-piadas desde el punto de vista nutricional. A fin de poder usar eficazmente los libros de cocina con los niños de cero a tres años, usted deberá reconsiderar o reformular las recetas según las destrezas de los pequeños y cualquier requisito dietético especial.

Las familias de los niños también son una fuente óptima de ideas culinarias. Invite a los padres a compartir las recetas de la comida que le preparen a sus hijos en casa. Al recrear estas recetas en las comidas y en las meriendas se fortalecerá el vínculo entre el hogar y la guardería. Además, será un reconocimiento de su programa a los orígenes culturales de los niños y las familias con quienes trabaja.

Usted notará que la mayoría de los niños estarán ansiosos por participar en actividades que tengan que ver con la comida. Con un poco de buena planeación logrará que estas experiencias se conviertan en oportunidades de aprendizaje continuo.

Algunas ideas acerca de preparar y probar comida

Estimadas familias:

Quizá a algunos de ustedes les sorprenda que los niños tan pequeños participen en actividades culinarias. Sin embargo, una de las razones por las cuales a los pequeños les llama la atención la preparación de alimentos es porque es una actividad de los adultos. Para ellos, participar en en esta clase de actividad —que los han observado a ustedes llevando a cabo diariamente— les fascina y motiva.

En nuestro programa nosotros construimos sobre la base de este interés natural en las experiencias alimenticias. Existe una gran cantidad de conceptos y de destrezas que los niños pueden aprender a partir de actividades de esta naturaleza. Por ejemplo, ¿se imaginan qué podrían aprender sus niños a partir de una tarea tan sencilla como cortarle los extremos a las habichuelas verdes? ¿Incluyeron lo siguiente?

forma
color
causa-efecto
orgullo por completar una tarea
coordinación ojo-mano
parte y todo
desarrollo de la motricidad fina

Como pueden ver, preparar alimentos es —además de educativo— algo práctico y placentero.

Lo que ustedes pueden hacer en el hogar

- *Permitan que sus hijos participen.* Dado que es probable que ustedes cocinen en su hogar, les será fácil involucrar en ello a sus hijos, incluso a los más pequeños. Permítanles sentarse en una silla alta y comenten lo que hacen. Cuando sus hijos les ayudan a preparar o a servir los alimentos, ustedes les demuestran que valoran sus contribuciones para mantener a la familia saludable y feliz.
- *Hablen con los niños sobre lo que sucede.* Los siguientes son unos cuantos temas que ustedes podrían comentar, a medida que preparen y prueben alimentos juntos.
    - los nombres de los diferentes alimentos, su apariencia, olor, sabor y textura
    - lo que se puede hacer con los diferentes utensilios y adónde se guardan en la cocina
    - por qué ustedes sirven una variedad de alimentos en cada comida
- *Es posible que estedes deseen llevar a cabo algunas actividades culinarias con los niños de nuestro programa.* Nos encantaría que ustedes prepararan alguna receta o que les ayudaran a los niños con la merienda. Especialmente, las recetas favoritas de su familia o una que refleje su herencia cultural. Ya que, deseamos que sus hijos tengan experiencias maravillosas relacionadas con los alimentos, tanto en nuestro programa, como en sus hogares.

Les saluda atentamente,

Capítulo 21

El juego con arena y agua

"Tu dinosaurio se ve limpiecito, Willard", exclama Grace mientras Willard le muestra el animalito lavado. "Mira cómo brilla cuando está mojado". "Mmh...", replica Willard en tono insistente mientras se pone de pie. "Apuesto a que quieres lavar otro animalito", le dice Grace al sonriente Willard.

Los bebés, los gateadores y los caminadores se sienten naturalmente atraídos a jugar con el agua y la arena. Hay algo en el fresco salpicar del agua y en la mágica sensación que produce la arena al resbalarse entre los dedos que resulta casi irresistible. Incluso siendo adultos, hay veces que uno anhela sumergirse en una bañera de agua caliente o poder caminar descalzo en una playa. Sin importar la edad, la arena y el agua son siempre elementos tranquilizantes y relajantes.

Además de su naturaleza calmante, el juego con arena y agua inicia a los niños en la comprensión de algunos conceptos básicos como seco y mojado, lleno y vacío, pesado y liviano. Esto puede constatarse, por ejemplo, cuando Matthew vierte agua sobre arena seca y produce una mezcla húmeda que, a continuación, extiende por el cajón de arena. O cuando Abby llena un balde con arena, lo vacía y, después, se queda mirando el balde vacío.

La arena y el agua también ofrecen oportunidades de vivir experiencias artísticas y teatrales. Bárbara sabe que Leo, cuyo comportamiento es difícil de predecir, fácilmente puede pasarse 20 minutos haciendo diseños en la arena. Si uno visita el patio de La Toya, es muy probable que las gemelas le ofrezcan una "merienda": una taza de agua y un panecillo de arena servido en un plato.

La preparación para jugar con agua y arena

Para garantizar la salud y la seguridad infantiles, mantener el desorden al mínimo y reunir los accesorios y las herramientas adecuadas para realzar la experiencia se requiere de cierta planeación por anticipado. Sin embargo, al planear recuerde que compartir su gusto por estos materiales es lo que cuenta para que los niños se animen a explorarlos.

"¿Por cuáles aspectos de la seguridad y la salud debo preocuparme?"

Para que los niños puedan jugar sin peligro con el agua y la arena existen unas cuantas precauciones que usted deberá tomar. No tendrá que estar pendiente de cada movimiento de los niños, pero recuerde que tanto los bebés, los gateadores y los caminadores dependerán de su constante supervisión.

Para el juego con agua los tazones o recipientes individuales son mejores que una mesa comunitaria para evitar la propagación de enfermedades diarréicas. Las mangueras también ofrecen una forma segura y saludable de jugar. Para los bebés, comience con una sola bandeja llena de agua. A medida que crezcan, podrá aumentar dos o tres pulgadas. (Sin embargo, se sabe de niños que se han ahogado en menos de una pulgada de agua. Por lejano que pueda parecerle, es necesario que conozca los procedimientos de reanimación boca a boca por si llegara a suceder algún incidente).

Recuerde botar el agua después de usarla. El agua estancada no sólo implica un riesgo de ahogamiento sino que es caldo de cultivo de bacterias.

Si usa un lavamanos o fregadero para el juego con agua, deberá verificar la temperatura del agua y que las llaves no puedan abrirse fácilmente al tocarlas. Asimismo, si se usa un banquito para alcanzar el lavamanos, usted querrá verificar que esté protegido por tiras de caucho. Desconecte y aleje todos los aparatos eléctricos (secadores de pelo, etc.) y cubra las tomas eléctricas de manera que las manos mojadas de los niños no entren accidentalmente en contacto con la electricidad.

Para el juego con arena recuerde que la arena esterilizada de grano fino (comprada en los aserríos) es la más adecuada por razones de salud y porque mantiene su forma. Aunque no es tóxica, no se recomienda comerla (como a menudo hacen los bebés). Por lo tanto, es mejor dejar estas actividades para los gateadores más grandecitos y los caminadores. Para evitar resbalones y caídas, cerciórese de barrer la arena de las aceras y las zonas de paso.

Si quiere experimentar con alguna textura diferente, considere utilizar arroz, avena o harina de maíz como una alternativa a la arena. (Tenga en cuenta, sin embargo, que para algunas personas es ofensivo usar la comida de esta forma). Evite las bolitas de icopor (*Styrofoam*), ya que ofrecen un peligro de asfixia.

Para el juego con arena y agua, use bandejas o bañeras individuales para reducir la propagación de infecciones. Desinféctelas diariamente con una solución de cloro. Cuando no use las zonas de arena al aire libre, recuerde cubrirlas para evitar que los gatos o perros las ensucien. Los accesorios también deben ser desinfectados con solución de cloro. Debe evitarse el uso de esponjas (aunque sean muy divertidas para jugar), pues en ellas se producen gérmenes.

"¿Cómo puedo mantener el desorden al mínimo?"

Si considera que jugar con agua y arena es, sencillamente, demasiado ensuciador, no es la única persona que piensa así. Usted se preguntará si no hay maneras menos difíciles de ofrecerle a los niños experiencias significativas de aprendizaje. Y, por supuesto que las hay: mirar libros y jugar con juguetes es mucho más limpio. No obstante, como los niños aprenden de muchas maneras y mediante muchas experiencias distintas, mientras mayor sea la variedad de experiencias que se les brinden, mayores oportunidades tendrán de explorar y aprender.

Con un poco de planeación de su parte, el juego con agua y arena será una actividad totalmente manejable y divertida. He aquí algunas sugerencias.

Comience a organizar juegos con arena y agua al aire libre. El mejor lugar para empezar es fuera de la casa, donde los regueros no importan. Un sector descubierto y un charco son la arena y las "bañeras" de la naturaleza. Los cajones de arena y las piscinas inflables también son buenos para comenzar. Puede utilizar platones, mesas de arena y agua especialmente diseñadas, o una llanta vieja o un neumático interno como marco del cajón de madera. En muchos centros infantiles en climas cálidos se utiliza la arena para cubrir el suelo al aire libre, convirtiendo así el espacio exterior en un cajón de arena gigantesco.

Escoja con cuidado sus espacios interiores. Para mantener al mímino el desorden y la suciedad dentro de la casa, simplemente piense en dónde es más fácil limpiar. Lo más probable es que sea el baño o la cocina ya que ambos tienen un lavamanos donde se puede jugar con agua y los pisos pueden trapearse. Es decir, una zona sin alfombra es la mejor opción. Pero si todos sus pisos están alfombrados, no se preocupe; se podrá jugar con agua y arena si coloca sobre la alfombra un mantel viejo de plástico, una cortina de baño o un plástico protector.

Prepárese para los regueros. Si tiene la precaución de cubrir el piso con un plástico, los regueros podrán limpiarse fácilmente y la arena vaciarse afuera. Para mayor protección, extienda toallas viejas o papel periódico sobre el plástico. Algunos encargados del cuidado infantil ubican los platones o bañeras individuales dentro de una piscina inflable para que el agua o la arena regadas queden en la piscina.

Proteja la ropa de los niños. Proteger a los niños consiste en cubrirlos o descubrirlos. En clima cálido lo más fácil es dejarlos jugar con arena y agua llevando puestos sólo los pañales o pantaloncitos, pues cuando no hay que proteger el vestido, la limpieza es sencillísima. También se pueden comprar blusones o batas, o confeccionarlos a partir de camisas o delantales viejos, o cortándoles agujeros a bolsas de basura resistentes para hacer ponchos. Otra opción es que los niños jueguen con agua vestidos con impermeables y botas. En todo caso, siempre es conveniente tener una muda de ropa limpia a la mano para cada niño. ¡Por si acaso!

Procure que el grupo sea pequeño. Limite el número de niños que jueguen con arena y agua a tres o cuatro a la vez. Si les ofrece otras opciones interesantes, ello no será problema. Los mismos niños manejan más fácilmente los grupos pequeños, lo que le permitirá a usted interactuar más fácilmente con cada uno de ellos.

Mantenga a su alcance los accesorios de limpieza. Tenga a mano provisiones (toallas de papel, escobas, recogedores y trapeadores de tamaño infantil) para que los niños mayorcitos puedan ayudarle a limpiar. Si la limpieza se convierte en parte del juego y no en un oficio que hay que hacer al terminar, el juego con arena y agua se convertirá en una experiencia mucho más atractiva para todos ustedes.

Determine el momento óptimo para jugar con arena y agua. Lógicamente usted querrá dejar escoger a los niños mismos si quieren o no jugar con arena y agua; sin embargo, será cosa suya decidir cuándo ofrecer dicha opción. Le sugerimos escoger una hora del día en que haya suficiente tiempo para prepararse, jugar, y recoger y limpiar. Muchos encargados-maestros consideran el final de la mañana una buena hora.

"¿Qué suministros y accesorios necesito para animar a los niños a explorar el juego con arena y agua?"

Para la arena y el agua pueden usarse bandejas de cafetería o platones bajos. Las bandejas o platones individuales le permitirán a cada niño jugar en un área definida. Los caminadores, que ya disfrutan de la compañía de otros niños, gozarán jugando en una mesa de arena y agua para niños.

Los bebés no necesitan accesorios para jugar en el agua. La mera exploración del agua es sumamente satisfactoria para ellos.

Los gateadores también disfrutan de la exploración sensorial. Los accesorios que les facilite expandirán su imaginación y sus habilidades. A continuación, le sugerimos algunos accesorios útiles:

- animalitos o muñecos de plástico o caucho
- pelotas
- juguetes flotadores, como los barcos
- palas y baldes pequeños
- rastrillos
- tazas plásticas encajables
- embudos
- coladores
- una regadera

Para los caminadores, cualquiera de los accesorios mencionados es apropiado. A su juicio, puede agregar algunos de los siguientes:

- batidor de alambre
- cedazos
- molinos de agua o arena
- cortadores plásticos de galletas
- cucharas ranuradas
- botellas apretables
- moldes para pasteles (con y sin agujeros en el fondo)
- cucharones
- moldes para muffins
- pitillos
- accesorios para soplar burbujas de jabón
- conchas marinas grandes

Lo más conveniente es mantener los accesorios seleccionados en anaqueles bajos y abiertos donde los niños puedan alcanzarlos por sí mismos. Si se dibuja el objeto en el sitio correspondiente del estante, ellos sabrán dónde volver a colocar lo que saquen. Por otra parte, evite guardar los accesorios en la bañera o sobre la mesa, pues no sólo es antihigiénico sino que desanimará a los niños a decidir con qué jugar.

Invite a los niños a explorar la arena y el agua

Para los niños de cero a tres años explorar la arena y el agua es una maravillosa experiencia sensorial que introduce conceptos básicos y promueve la creatividad en formas naturales. Al mismo tiempo, la exploración de la arena y el agua desarrolla la motricidad fina, la coordinación ojo-mano y el equilibrio. A continuación, le presentamos algunas formas de hacer placenteras estas experiencias y de estimular la curiosidad infantil y su fascinación con el mundo.

Los bebés

A muchos bebés les encanta explorar el agua. Sentirla en sus mejillas, cosquilleando sus pies y descendiendo por sus pancitas les hace chillar de gozo. Cuando los bebés estén sentados en su regazo, permítales jugar con agua en una vasija plástica. El mero hecho de verla saltar al ser golpeada y sentir su frescura al salpicarles la piel les proporciona a los niños una diversidad de experiencias sensoriales.

Observe a los niños para ver cómo reaccionan. Si les complace e interesa, convierta el juego con agua en una actividad regular.

Hable con los bebés sobre lo que estén sintiendo:

- ❖ **Describa la experiencia:** "Apuesto que el agua te hace cosquillas".
- ❖ **Ayúdele a los niños a sentirse seguros:** "Así te tengo firme. ¿Esa agua no está riquísima?".
- ❖ **Hábleles sobre sus reacciones:** "¡Hiciste saltar el agua!".
- ❖ **Refleje las emociones de los pequeños:** "Te sorprendió el agua que te cayó en la mejilla, ¿no?".

Los gateadores

Los gateadores más dados a jugar con la arena que a comérsela podrán disfrutar explorando la arena y el agua. A ellos les gusta utilizar sus manos y accesorios sencillos como los embudos y cedazos. Preséntelas los accesorios gradualmente y uno a la vez. Por ejemplo, las tazas de medir y los coladores les abren las puertas de un nuevo mundo de juego. Los juguetes que flotan le añaden otra dimensión al juego con agua, tal como lo hacen un balde y una pala a un cajón de arena. Observe a los niños para descubrir cuáles accesorios les gustan. Póngalos a disposición de los niños para que tengan oportunidades de jugar con ellos. Sin embargo, mantenga presente que tener muchos puede distraerlos.

Tal como lo mencionamos antes, a muchos niños les encantan estas actividades y querrán realizarlas. En cambio, otros como Abby, quien es algo más sensible al tacto, podrán ser reacios. Invite a estos niños a explorar la arena y el agua al compartir su interés y gusto por estas actividades, pero nunca fuerce a ningún niño que no quiera participar.

Si les ofrece a los gateadores actividades con arena y agua, las siguientes son unas cuantas maneras de interactuar con ellos que fomentarán su aprendizaje.

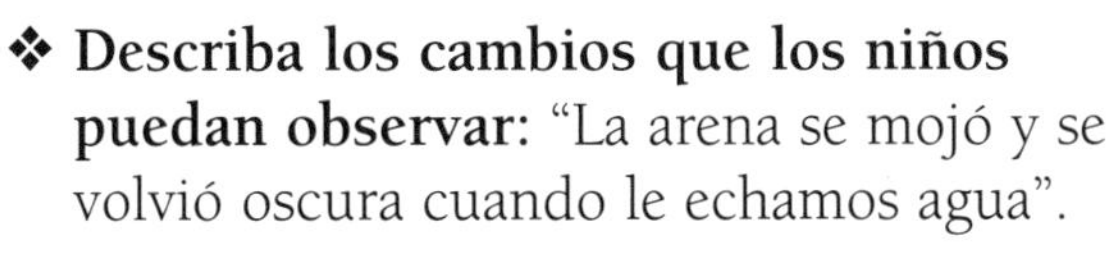

- **Describa los cambios que los niños puedan observar:** "La arena se mojó y se volvió oscura cuando le echamos agua".
- **Anímelos a apreciar los diseños:** "Hiciste todas esas curvas en la arena con el rastrillo".
- **Ayúdele a los pequeños a reconocer sus emociones:** "Jugar en el agua es muy relajante".
- **Ofrézcales vocabulario para sus exploraciones:** "Si abrimos el grifo, saldrá agua fría".

Los caminadores

Con sus destrezas físicas y cognoscitivas en constante desarrollo, los caminadores exploran la arena y el agua con fervor. Por ejemplo, Leo ya puede usar un cepillo de lavar vegetales para cepillar una piedra. Valisha puede "hornear" pasteles de lodo para servirle a La Toya, y Jonisha puede lavarse las manos y lavárselas a la muñeca.

Al explorar la arena y el agua, los caminadores observan que algunos objetos flotan en el agua y que la arena cernida forma un montículo. Ellos notan cómo se deslizan por los agujeros de un colador y pasan largos períodos llenando y vaciando recipientes. Asimismo, les encanta enterrar los pies e imprimir sus huellas en la arena. La arena y el agua son excelentes laboratorios para responder a muchos de los "porqué" que constantemente preguntan los niños hasta los tres años.

Mezcla para hacer burbujas

$\frac{2}{3}$ de taza de detergente líquido (Joy o Dawn son los mejores)
$\frac{1}{4}$ de galón de agua
$\frac{1}{3}$ de taza de glicerina

Sumerja los marcos en la mezcla para producir burbujas grandes. Para hacer burbujas espumosas use frascos de champú vacíos.

Aproveche el entusiasmo natural de los caminadores por el juego con arena y agua hablando con ellos en formas que reflejen lo que hacen.

- **Haga notar las relaciones causa-efecto:** "¿Qué le pasó a la arena cuando la echaste en el colador?".
- **Anime a los niños a resolver problemas:** "¿Cómo podemos llenar de arena este balde?".

- **Hágales formular predicciones:** "¿Qué crees que pasará si echamos este bloque en la bañera?".
- **Apoye el juego representativo:** "¿Qué va a hacer tu muñeco después de que lo bañes?".

Los accesorios expanden el pensamiento de los caminadores al facilitarles explorar y experimentar con la arena y el agua en nuevas formas. Si Valisha usa un batidor manual en la bandeja de agua produce burbujas que explotan al pincharlas. Asimismo, ella observa que la arena se escurre a través del colador y que permanece en la taza. Cada interacción le enseñará conceptos nuevos.

Tal como le sugerimos con los niños más pequeños, presénteles los accesorios gradualmente y cerciórese de que tengan suficiente tiempo para investigarlos y probarlos. Uno de los pasatiempos preferidos de muchos y que no pasa de moda es soplar burbujas al viento. (Hemos incluido una receta para hacer burbujas duraderas).

Ofrézcale a los caminadores más grandecitos distintos marcos que puedan sumergir en la mezcla para hacer burbujas y luego sóplenlos o agítenlos en el aire. Los marcos de anteojos vacíos o las canastas plásticas de frutillas producen unas burbujas maravillosas. Muéstrele a los niños que las burbujas se producen mucho mejor si las manos y los marcos están completamente mojados, pues las superficies secas las hacen explotar al contacto.

Otras actividades especiales que podría intentar hacer con los caminadores, incluyen:

- "pintar" (con agua) un edificio, una acera o un árbol;
- poner música para establecer el tono del juego con arena y agua; y
- contar historias, por ejemplo, sobre brincar en un charco o sobre la máquina que vio en una obra de construcción cercana.

Si bien es cierto que la exploración con arena y agua requiere algo de planeación y de supervisión, la verdad es que es una experiencia natural y placentera, llena de enriquecedoras oportunidades de aprendizaje para los niños de cero a tres años.

■ ■ ■

Algunas ideas sobre el juego con arena y agua

Estimadas familias:

Es indiscutible que el juego con arena y agua ocasiona suciedad. Pero, a los pequeños les fascina y pueden aprender del mismo. Cuando un(a) pequeño(a) salpica agua, aprende que al mecer su mano ocasiona que el agua se mueva (causa-efecto) y cuando vierte una taza de arena en un balde aprende sobre los tamaños, formas y cantidades. Al mismo tiempo, estos niños están desarrollando sus destrezas musculares y aprendiendo a expresarse.

En nuestro programa, los niños juegan con arena y agua, tanto dentro como fuera del salón. Los pequeños salpican agua en bandejas y los mayorcitos bañan a sus muñecas y juguetes de plástico. Excavan y vacian arena; filtran agua a través de cedazos y soplan burbujas al viento; hacen diseños en la arena con peines y con moldes para galletas. Nosotros animamos a todos los niños a explorar la arena y el agua.

Lo que ustedes pueden hacer en el hogar

Dado que el juego con arena y agua les ofrece a los niños una variedad de experiencias, es probable que ustedes deseen llevar a cabo algunas de estas actividades en sus hogares. Tengan en cuenta las siguientes recomendaciones:

- *Llenen una bañera o una bandeja plástica con una pulgada de agua.* Lo único que necesitan sus hijos para disfrutarlo es un poco de agua. Coloquen la bañera en el suelo, sobre unas cuantas toallas y permítanles salpicar el agua. Si tienen otro(a) hijo(a) mayorcito(a) provéanles tazas plásticas para medir, botellas apretables, un embudo o un cedazo.
- *Hablen con su hijo(a) mientras el/ella se baña.* Formulen preguntas con el fin de estimular la observación y el pensamiento: "Mira cómo salen burbujas con el champú".
- *Llenen un platón de arena.* Así los niños podrán jugar adentro o afuera. El recipiente le pone límites a la arena y les permite a los niños controlar el área de juego. Para variar la experiencia, añada una pala, un embudo, una cuchara, animales de plástico pequeños u otros utensilios de cocina.
- *Añádanle un poco de agua a la arena para producir lodo.* Inviten a sus hijos a hacer pasteles para una fiesta imaginaria.

Nosotros contamos con otra serie de ideas para el juego creativo con arena y agua y nos encantaría compartirlas con ustedes. Esperamos que nos ofrezcan sus ideas acerca de las actividades con arena y agua preferidas por su niño(a).

Les saluda atentamente,

Capítulo 22

El placer de la música y el movimiento

Después de poner una cinta para que bailen los niños más grandecitos, Janet nota que Jasmine se mueve al ritmo de la música sentada en el suelo. "Parece que también quieres bailar", le dice Janet, sentándose en el suelo junto a ella moviendo la cabeza y los brazos al compás. Se sonríen mutuamente y, a continuación, Janet le toma los brazos a Jasmine y le pregunta: "¿Quieres que bailemos?". Cuando Jasmine estira los brazos hacia ella, Janet la levanta y comienza a bailar por toda la sala con ella cargada. Jasmine sonríe y chilla complacida.

La música y el movimiento son parte natural de la vida infantil. A los recién nacidos, a menudo les reconforta el rítmico latir del corazón de los padres cuando los sostienen cerca o los mecen a un ritmo constante. Cuando pueden sentarse, se menean hacia arriba y hacia abajo o mueven los brazos al son de la música. Los caminadores con frecuencia tienen canciones favoritas, les encanta producir "música" golpeando una olla con una cuchara y disfrutan moviéndose a diferentes ritmos y compases.

La música y el movimiento también contribuyen al desarrollo integral infantil. De hecho, investigaciones en este campo indican que escuchar y producir música en la infancia temprana contribuye a establecer las conexiones cerebrales necesarias para entender matemáticas, ciencia e ingeniería. Además, la música y el movimiento ofrecen oportunidades de explorar las emociones y relaciones, aprender conceptos, desarrollar las destrezas motrices y comunicativas como hablar y escuchar, y estimular la creatividad y la apreciación estética. Por ejemplo, cuando Abby canta "The Itsy Bitsy Spider" con Brooks, no sólo disfruta de su compañía, sino que aprende lo que es arriba y lo que es abajo, al tiempo que agudiza su motricidad fina cada vez que sus manos se convierten en la araña, la lluvia o el sol. Cuando Jonisha baila con otros niños al ritmo del calipso de una cinta que le trajo a La Toya, se siente llena de energía y conectada con su hogar. A medida que se mueve de distintas maneras según la música, estira no sólo su cuerpo sino su imaginación. Y a Gena, por ejemplo, aprender la letra de una nueva canción la hace sentirse orgullosa y capaz de participar en el canto con otros niños.

La organización del entorno para la música y el movimiento

Para proporcionar actividades musicales y de movimiento usted deberá tomar muchas decisiones; entre otras, cómo disponer el entorno, qué tipo de música escuchar, qué instrumentos usar, cuáles actividades son más apropiadas para los bebés y gateadores y cuáles para los caminadores; y qué tan buen cantante o bailarín deberá ser usted. A continuación comentamos cada uno de estos temas.

"¿Cómo debo disponer el entorno para las actividades de música y movimiento?"

Es probable que usted ya haya hecho lo que hay que hacer. Simplemente cerciórese de tener un espacio abierto, seguro para bailar y moverse, lo suficientemente grande como para que los niños no se choquen entre ellos ni contra nada. Una buena idea es que el piso esté alfombrado pues a los niños les encanta caerse a propósito y pueden estar usando un calzado inapropiado para las actividades de movimiento.

Si el equipo de sonido está en el mismo cuarto, verifique ponerlo —junto con todos los cables eléctricos— fuera del alcance de los niños.

"¿Qué música les gusta a los niños de cero a tres años?"

Los niños pequeños parecen preferir la música y las canciones con un ritmo marcado, con repeticiones y sílabas sin sentido, que evocan estados de ánimo (calmado o animado), sugieren distintos movimientos o cuentan alguna historia.[1] Usted mismo podrá inventar canciones sencillas sobre los niños mismos o sobre cosas y personas conocidas. Por ejemplo, a Gena le fascina oír a Iván cuando canta: "Llegaron Gena y Franklin" cuando ella y Franklin —su corderito de peluche— llegan en la mañana. A los niños también les encantará que usted les invente canciones a partir de los sonidos de las cosas, cosas como las campanas que hacen "ding", las cornetas que hacen "jonk" y los trenes que hacen "chu-chú". Y, lógicamente, se divertirán cantando las tradicionales preferidas como "La cucaracha" y "Que llueva, que llueva, la vieja está en la cueva".

Además, existen muchas grabaciones buenas para los pequeños. Usted no tiene que limitarse a las selecciones grabadas para niños. Revise su propia colección de música para ver qué puede compartir con ellos. Al igual que usted, los niños disfrutarán escuchando y meneándose al ritmo de una gran variedad de sonidos: canciones folklóricas, jazz, música clásica, música popular y música de distintas culturas. Muchas bibliotecas públicas cuentan con selecciones de discos infantiles, así como otros tipos de música con que disfrutan los pequeños. Las familias también podrán serle útiles como una fuente musical que refleje sus gustos y culturas individuales.

" Si se requieren instrumentos, ¿de qué clase deben ser?"

Los instrumentos rítmicos sencillos como los tambores, xilófonos, campanas, sonajeros y maracas, tamborines, platillos, bloques de madera, ollas y sartenes con cucharas de palo les permitirán producir y responder a la música golpeando, tintineando, susurrando y marcando el ritmo. Estos instrumentos pueden comprarse o

[1] Joan P. Isenberg y Mary Renck Jalongo. *Creative Expression and Play in the Early Childhood Curriculum.* New York: Macmillan Publishing Company, 1993.

hacerse. Por ejemplo, con las cajas de cereal pueden confeccionarse tambores, con moldes para hornear se pueden hacer platillos, y llenando recipientes de arroz, macarrones o botones y sellándolos bien se obtienen sonajeros y maracas.

Si usted o algún padre de familia toca algún instrumento, tráiganlo a la guardería y tóquenle a los niños. No se sorprenda si al tocar la guitarra los mayorcitos se le unen en un "jam" golpeando un bloque de cartón, o soplando un embudo o un tubo de cartón si usted toca la flauta dulce.

"¿Qué tipos de experiencias musicales y de movimiento son más apropiadas para los niños de cero a tres años?"

La música y el movimiento son una parte natural del día de todo niño. A continuación, describiremos cinco tipos de experiencias con música y movimiento que durante el día los niños menores de tres años disfrutan especialmente, ya sea con usted o solos.

Escuchar sonidos y música. A toda hora y en todas partes hay sonidos. Por ejemplo, si dirige la atención de los niñs a los chasquidos producidos por su propia ropa al ser cambiados; al crujir de una manzana en la ensalada de frutas que ayudaron a preparar, o al sonido de las bocinas de los autos al caminar por el barrio, les ayudará a reconocer aún más su mundo y fortalecerá la capacidad de escuchar.

Escuchar música puede ocurrir a cualquier hora del día. Es probable que usted ya coloque música suave a la hora de la siesta o que les cante durante las rutinas de vestirse, cambiarles los pañales o ir al baño. En la casa de Janet los niños han estado escuchando una grabación de música clásica que trajo un familiar. Al tocar música escogida e invitar a uno o dos niños a escucharla con usted, fomentará la capacidad de concentrarse y escuchar. Al escuchar música en ciertos momentos se evita que ésta se convierta en un mero sonido de fondo, al tiempo que se comunica que es algo a lo que debemos prestarle atención y disfrutarlo.

Producir sonidos y cantar. A los gateadores más grandecitos y a los caminadores les encanta hacer sonidos de animales, de vehículos, o de cualquier otra cosa en su entorno y lo hacen sin que haya que decirles que lo hagan. Este interés se puede estimular animándoles a imitar los sonidos repetidos en los cuentos que se les leen, o a imitar sonidos durante el juego representativo. En cuanto a cantar, como a casi todos los niños les gusta, podrá concentrarse en la diversión de cantar juntos. Mantenga presente que los niños y los adultos difieren en cuanto a sus capacidades innatas de entonar una melodía y repetir las letras. Invite a los niños a copiar sus ritmos, rimas y ademanes. ¡Y diviértase copiando los de ellos!

El baile y el movimiento. El movimiento es el complemento natural de la música. Hasta los bebés más pequeños disfrutarán que se les meza en los brazos al bailar. Los gateadores brincarán y se menearán al ritmo de la música, y les gustará sentarse en su regazo y jugar juegos musicales como "Rema, que rema" al tiempo que entrelazan las manos y se mueven hacia adelante y hacia atrás. A medida que puedan pararse mejor en sus propios pies les gustará "A la rueda, rueda". En muchos casos

les gusta imitar el movimiento de los diversos animales como un elefante, una mariposa, un gusano o un correcaminos. Al moverse, estarán explorando diversos conceptos, como cuando usted les sugiere: "Movamos los dedos *en silencio*" o "zapateemos *tan fuerte* como podamos". Con el tiempo, los niños aprenderán a mover las piernas, los pies, los brazos y las manos rápida o lentamente, hacia arriba y hacia abajo, hacia adentro y hacia afuera, y por encima y por debajo. Conforme se sientan más cómodos moviéndose con la música, usted podrá proporcionarles objetos sencillos como plumas, bufandas o cintas.

El juego con los dedos. Añadirle movimientos de dedos a clásicos como "Un elefante se balanceaba" o "Aserrín, aserrán" les brinda a los niños la oportunidad de poner en práctica la motricidad fina y la coordinación a medida que cantan canciones conocidas. Algunos niños podrán mover los dedos al cantar, mientras que otros participarán haciendo alguna de las dos cosas. Los juegos con los dedos también les ofrecerán la oportunidad de disfrutar juntos si se sienta con un solo niño o con un grupo pequeño. Un juego de dedos al ritmo de "Un elefante se balanceaba" podría dar lugar a conversaciones sobre las telas de araña, o el tamaño de los elefantes. Un juego de dedos con "Dos pajaritos" formando con los dedos figuras de aves que salgan volando y regresen podría terminar en una conversación sobre los saludos y despedidas. Asimismo, podrán divertirse con los libros en inglés de juegos de dedos como *Fingerplays and Action Chants* (Tonya Weitmer) y *Fingerfrolics* (Liz Cromwell y Dick Hibner).

Los instrumentos rítmicos. Los gateadores y los caminadores disfrutarán del placer y la satisfacción de inventar su propia música. Usted podrá animar a los niños a inventar ritmos aplaudiendo y taconeando rápido, lento, suave o fuerte. Más adelante, preséntoles instrumentos sencillos (tenga duplicados de los instrumentos para evitar las peleas y esté listo a intervenir para impedir que los usen como proyectiles). Deles todo el tiempo necesario para explorar los instrumentos. En cuanto al canto, concéntrese en el placer de producir sonidos y estar juntos, no en la interpretación.

"¿Necesito saber cantar y bailar para tener experiencias de música y movimiento con los niños?"

Aunque algunos adultos sean cantantes y bailarines expertos, la mayoría no lo es. Pero no se preocupe: la música y el movimiento pueden compartirse con los pequeños aunque no se pueda entonar una melodía ni se sepa bailar "salsa".

La capacidad de compartir con los niños el placer de apreciar la música y el movimiento es mucho más importante que cualquier destreza musical o de baile que usted pudiera tener y constituye una manera importante de estimular el interés y la participación infantil.

Comparta con los niños la música y el movimiento

Al igual que con todas las demás actividades, tómese su tiempo para observar a los niños con cuidado y poder así responder de manera tal que cada experiencia sea divertida y significativa para ellos. No importa cuánto desee compartir la belleza y el placer de la música y el movimiento con ellos, recuerde que la idea clave es que estas actividades sean divertidas. Recuerde además que no deberá forzar nunca a ningún niño a escuchar música ni a moverse o bailar. Al mismo tiempo, deberá estar al tanto del interés infantil por una u otra experiencia musical. Si es necesario, intervenga para evitar sobreestimulaciones que puedan convertir una actividad de música y movimiento en mero ruido y caos.

A continuación, le presentamos algunas estrategias que usted podrá poner en práctica para fomentar la exploración y el gozo de la música y el movimiento.

Los bebés

Los bebés como Julio y Jasmine pueden responder a los sonidos o la música volteando la cabeza, sonriendo, riéndose o moviendo una extremidad. Por lo general, se calman con sonidos suaves y rítmicos como las canciones de cuna o la voz del encargado conocido. Cuando la música es más animada, tienden a responder con más vivacidad. Algunos bebés son más sensibles que otros a los sonidos y pueden llorar si se produce un sonido fuerte o inesperado. Otros son curiosos y atentos, pero pueden sentirse atemorizados al oír sonidos fuertes como el de una aspiradora o un triturador de alimentos.

Para los bebés, así como para los niños más grandecitos, el movimiento es la extensión natural de la música. Los bebés tienden a responder a ella con todo el cuerpo. Por ejemplo, Jasmine se mueve de arriba a abajo y se menea hacia atrás y adelante al Janet colocar la grabación que su hijo mayor le llevó a casa la semana pasada.

Una de la principales maneras de propiciar que los bebés disfruten de la música y el movimiento co es resaltando las experiencias que ocurren naturalmente en el curso de la vida diaria. Veamos cómo funciona esto fijándonos en cómo actúan Julio y Jasmine con sus encargados.

Cuando Julio se muestra agitado, Linda lo alza y le canta suavemente mientras se mecen en la silla mecedora. El se calla y la mira; ella sonríe y le dice: "Ya te sientes mejor, ¿no? ¿Quieres cantar más?". Al tiempo que Linda lo mece y le canta, le brinda a Julio una experiencia positiva con la música y el movimiento.

Todas las tardes Janet y los niños a su cargo salen al patio y, mientras juegan algunos de los más grandes, Janet se sienta en una manta con Jasmine. "Escucha", le dice. "¿Oyes los pajaritos cantando en el árbol?". Tras una pausa para que Jasmine pueda escuchar, Janet silba copiando el trinar. "¿Puedes cantar como un pájaro?", le pregunta. Así, Janet le ayuda a Jasmine a comprender que escuchar es una destreza importante. Con el tiempo, Jasmine aprenderá a distinguir entre los distintos sonidos, ritmos y volúmenes.

Con el fin de animar a los niños a explorar la música y el movimiento se les puede hablar sobre lo que están sintiendo cuando lo hacen. Eso sí, cerciórese siempre, como lo hace Janet, de no hablar tanto que interfiera con el sonido o el fluir de la música. He aquí unos ejemplos de lo que usted podría hacer y decir:

- ❖ **Describa la experiencia:** "Nos estamos moviendo con la música, hacia atrás y hacia adelante, de un lado al otro".
- ❖ **Ayúdelos a sentirse seguros:** "Vamos a sentarnos y mecernos en esta silla y yo les cantaré".
- ❖ **Refleje las emociones de los bebés:** "¿Te gusta bailar conmigo?".
- ❖ **Descríbales los sonidos interesantes:** "Lo que oímos es una tuba. Produce un sonido profundo".

Los gateadores

Willard y Abby también disfrutan los sonidos y la música que hacen parte de su vida diaria. Por ejemplo, cada mañana, Willard espera a que Grace oprima el botón de la licuadora para licuar la fruta y jovialmente se une al "runrún" de la máquina. Abby sonríe plácidamente cuando Brooks canta: "Abby, Abby, ¿dónde está la pequeña Abby?" al son de la melodía de "Alouette".

Para responder a las crecientes destrezas de los niños se pueden introducir actividades de música y movimiento individuales o en grupos pequeños, que incluyan cantar, tocar instrumentos rítmicos o bailar durante las rutinas y los momentos de juego. Por ejemplo, usted podría cantar alguna canción mientras cambia los pañales. Anime a los niños a dar pasos "gigantescos" cuando caminen por el barrio o jueguen al aire libre.

Conforme vayan mejorando sus destrezas lingüísticas, algunos gateadores podrán unírsele en alguna canción. A veces repetirán algún sonido una y otra vez, como "B-B-B-B" o "DA-DA-DA-DA". También es probable que canten a media lengua o que, incluso, acompañen alguna tonada conocida como "Cumpleaños feliz". Mientras más se fortalezca la coordinación física y la conciencia que vayan adquiriendo de sus cuerpos, más disfrutarán tocando instrumentos sencillos de ritmo y moviéndose al son de la música.

En la medida en que interactúe con los gateadores, podrá fomentar el placer de la música y el movimiento, así como el de aprender. He aquí algunas ideas para ayudar a los niños a concentrarse en estas experiencias:

- **Describa lo que estén haciendo:** "Le estás cantando una canción al osito de peluche".
- **Anímelos a responder a la música con el cuerpo:** "Te estás moviendo muy lentamente… al son de esta lenta música".
- **Pídales que identifiquen sonidos conocidos:** "¿Oyes el tic-tac del reloj?".
- **Identifique diferentes sonidos:** "El tambor está marcando en esta música de marcha. Hace bum, bum, bum".
- **Estimule las relaciones con la música y el movimiento:** "Tomémonos de las manos y pisemos las hojas con fuerza".

Los caminadores

Con el tiempo, Leo, Matthew, Gena y las gemelas han tenido muchas experiencias con la música y el movimiento. Por ejemplo, han descubierto canciones que ahora prefieren, han aprendido a distinguir ciertos sonidos y, al igual que algunos caminadores, pueden identificar el sonido de algunos instrumentos. A veces también tararean y cantan cuando juegan. Su creciente motricidad fina y gruesa les confiere más control al jugar con los dedos o mover los brazos y las piernas. Y su creciente imaginación les abre las puertas a distintas maneras de moverse. A continuación, presentamos algunas formas de interactuar con los caminadores a fin de fomentar este nuevo aprendizaje:

- **Anime a los caminadores a disfrutar de las canciones:** "¿Oímos la canción de animalitos que tanto te gusta?".
- **Ayúdeles a diferenciar entre los distintos sonidos:** "Escuchen con cuidado: ¿Saben qué instrumento es ése que produce esas notas tan altas?".

- **Anime a los mayorcitos a cantar canciones conocidas:** "¿Hoy es el cumpleaños de tu bebé? ¿No le vas a cantar el 'Cumpleaños feliz'?".
- **Diríjales la atención a la forma en que muevan sus cuerpos:** "¿Puedes moverte tan rápido como el ritmo de este tambor?".
- **Estimule la imaginación de los caminadores:** "Hagamos de cuenta que somos panqueques volteándonos en la sartén".

La música y el movimiento están a todo nuestro alrededor. Al incluirlos en su programa diariamente, usted estará abriéndole una puerta a experiencias que los niños podrán disfrutar por el resto de su vida.

Algunas ideas sobre el placer de la música y el movimiento

Estimadas familias:

Escuchar música y mover el cuerpo son aspectos naturales, placenteros e importantes en la vida de los niños. Los recién nacidos se sientes reconfortados cuando se les mece con delicadeza y a un ritmo continuo. Los mayorcitos pueden tener canciones favoritas o, incluso, producir música al golpear una olla con una cuchara. Además de los placeres de escuchar música y moverse al son de la misma, estas actividades son de gran importancia para el desarrollo infantil en general. Los siguientes son unos cuantos ejemplos:

Cuando su hijo(a):	**El/ella aprende:**
se toma de las manos y baila con otro(a) niño(a)	sobre las relaciones sociales
toca un instrumento rítmico	a ser un(a) "productor(a) de música"
aplaude lentamente y luego rápido	a responder a la música
disfruta el cantar y bailar con otros	los placeres de la música y el movimiento

Lo que ustedes pueden hacer en el hogar

Convertir la música y el movimiento en parte de la vida de sus hijos es sumamente fácil y grato. Las siguientes son unas cuantas sugerencias que podrían poner en práctica en su hogar.

- *Noten los sonidos diarios con sus hijos.* Háganles notar el sonido del reloj o el canto de los pájaros. Anímenlos a señalarles a ustedes los diferentes sonidos.
- *Canten con sus hijos.* Ustedes pueden inventar canciones sobre sus hijos, parientes y acontecimientos familiares. Para comenzar, elijan una melodía conocida y sustituyan el nombre de una persona o de un evento: "María tiene una pequeña muñeca, pequeña muñeca, pequeña muñeca..." Nos encantaría compartir con ustedes nuestras canciones y aprender algunas de las "hogareñas".
- *Muévanse y bailen juntos.* Durante una salida a caminar, es muy agradable dar pasos gigantescos y, luego, pasos pequeños. Ustedes podrían tratar, incluso, de saltar como las ranas o de deslizarse como los gusanos.
- *Ofrézcanle a los niños instrumentos rítmicos sencillos.* Ustedes pueden construir tambores con tarros de cereal, platillos con los moldes para hornear y maracas con recipientes llenos de arroz o de botones, sellados en forma segura.

No se preocupen si no pueden cantar ni tocar ningún instrumento. En realidad no importa. Lo importante es compartir con sus niños el gusto por la música y el movimiento. Así, podremos brindarle a sus hijos la oportunidad de gozar experiencias que disfrutarán por el resto de la vida.

Les saluda atentamente,

Capítulo 23

El juego al aire libre

"Mira, Gena, nuestra lechuga va a estar lista para comer en pocos días", dice Iván mientras él y Gena observan la primera cosecha de su jardín en una carretilla. "¿No crees que nuestro jardín necesita un poquito más de sol?", dice él. "Sí", responde Gena mirando el jardín desde su caminador adaptable. Y lo observa mientras Iván empuja el jardín portátil hasta una esquina soleada del patio de juego de la Escuela Crane. Gena dirige su atención al lugar bajo el árbol donde los niños persiguen las burbujas que hace una maestra. "¿Quieres ayudar a soplar burbujas?", le pregunta Iván. Gena asiente e Iván empuja el caminador hasta allá.

Jugar al aire libre es un placer para los niños pues les proporciona —lo mismo que a usted— oportunidades de estirar los músculos grandes, respirar aire fresco, sentir el sol (la lluvia o la nieve) y disfrutar la libertad de los espacios abiertos. A los niños pequeños les encanta sentir la suave y cálida brisa en sus mejillas o ver cómo la luz se filtra por entre las hojas mientras miran desde el coche en que se les pasea. Cuando puedan moverse disfrutarán haciendo salpicar agua en algún recipiente y gateando en un sendero de cobijas, llantas y esteras creado por usted para complementar las texturas naturales del espacio de juego al aire libre. Los caminadores, por su parte, no podrán resistirse al impulso de correr a campo abierto, treparse a los troncos, perseguir burbujas o impulsarse en los juguetes de montar.

Además, el juego al aire libre contribuye al desarrollo infantil en general al brindarles la oportunidad de explorar con todos sus sentidos, practicar su motricidad fina y gruesa, desarrollar destrezas sociales, y de comenzar a apreciar y respetar a los demás seres vivos. Por ejemplo, cuando Jasmine toca y arranca pasto en el jardín de Janet, está explorando con sus sentidos y refinando la motricidad fina. A Leo, estar al aire libre le da oportunidad de usar sus músculos en el jardín del centro de cuidado infantil al correr y trepar. El juego al aire libre permite que los niños experimenten un mundo más amplio en el cual la gente vive la vida cotidiana. Por ejemplo, cuando Leo camina con Bárbara le encanta detenerse en la tienda para visitar a Ben, quien a veces está barriendo u organizando los estantes.

Los niños de cero a tres años deberán salir al aire libre díariamente, a menos que el clima no lo permita. Salir es importante para la salud infantil física y mental, así como para la suya.

La preparación para jugar al aire libre

Para jugar al aire libre, hay que tener varias cosas en cuenta. Entre ellas, la salud y la seguridad, la manera de aprovechar lo mejor posible el espacio con que se cuenta y los tipos de actividades más apropiadas para los niños de cero a tres años.[1]

"¿Cómo puedo crear un ambiente al aire libre sano y seguro?"

Las claves del juego al aire libre sano y sin peligro son: el ambiente seguro, las reglas de seguridad y la supervisión.

La supervisión de los adultos. Un adulto necesita poder ver todo el tiempo la totalidad del área de juego. Si hay otros adultos con usted, cada uno podrá vigilar una zona, verificando que siempre haya alguien con una visión de todo el conjunto. Por supuesto, todos deberán ser flexibles y estar listos a intervenir si se necesita ayuda.

El paisaje libre de tóxicos. Inicialmente deberá analizarse el suelo para saber si contiene plomo u otras sustancias y si hay razón para creer que exista algún problema. Cerciórese de que ninguna vegetación del sitio sea venenosa en caso de que a algún niño curioso se le ocurra llevársela a la boca. Esté atento a la existencia de hongos surgidos de la noche a la mañana. Verifique con el *Regional Poison Control Center* (Centro Regional de Control de Envenenamientos) o con el *Cooperative Extension Service* (Servicio de Extensión Cooperada) para obtener información más completa.

La prevención del ahogamiento. Según los Estándares Nacionales del Desempeño en Salud y Seguridad, el ahogamiento es la tercera causa principal de lesiones no intencionales sufridas por los niños menores de cinco años. De hecho, en algunos estados es la principal causa de mortalidad. Para prevenir el ahogamiento, en las zonas de juego al aire libre no deberá haber sin protección piscinas de natación o chapoteo, zanjas, canteras, canales, o excavaciones en que se pueda represar el agua, así como estanques de peces u otros cuerpos de agua.

El diseño. La manera en que diseñe la zona de juego la hará más manejable, interesante y segura. Las zonas definidas con senderos claros proporcionan un patrón de tráfico y ayudan a que los niños decidan qué quieren hacer. Todo equipo de juego fijo deberá ubicarse de manera que los niños que jueguen con un tipo de equipo no interfieran con los que juegan con el de otro tipo ni con los que corren. Colocar los columpios y los juguetes de montar retirados de las zonas donde corren los niños ayuda a evitar que se choquen accidentalmente y se hagan daño.

---

[1] Esta sección está basada en el libro de Jim Greenman y Anne Stonehouse, *Prime Times: A Handbook for Excellence in Infant and Toddler Programs*. St. Paul, MN: Redleaf Press, 1966, pp. 226-233; American Public Health Association y la American Academy of Pediatrics, *National Health and Safety Standards: Guidelines for Out-of-Home Child Care Programs*. Arlington, VA : National Center for Education in Maternal and Child Health, 1992, pp. 183-192; y Karen Miller, *The Outside Play and Learning Book*. Beltsville, MD: Gryphon House, 1989, pp. 13-19; 23-26; 156; 159; 212.

La prevención de conflictos y aglomeración innecesarios. Reducir la incidencia de golpes, empujones y mordidas es posible si se ofrecen abundantes cosas de interés para hacer. Tenga duplicados de juguetes favoritos para llevar al aire libre como pelotas, baldes, palas y juguetes de montar. Esté alerta y listo para intervenir cuando sea necesario.

El equipo apropiado según el nivel de desarrollo. El equipo deberá estar diseñado para el tamaño y las habilidades de los bebés, los gateadores y los caminadores. Una regla general es un pie (30 cm) por cada año de edad del pequeño (un niño de dos años deberá jugar en un equipo a una altura máxima de dos pies). Escoja el equipo basándose en lo que conozca sobre las capacidades según el nivel de desarrollo infantil. (Ver el capítulo 7, "Cómo crear un ambiente acogedor").

El equipo seguro. Todo equipo utilizado deberá cumplir con todas las normas provistas en los *Consumer Product Safety Standards* (Estándares de Seguridad para el Consumidor) relativos a superficies expuestas, espacio, diseño y ubicación. Todo equipo en zonas de juegos mecánicos deberá instalarse de manera tal que un adulto de estatura promedio no pueda provocar la caída o el deterioro de ninguna estructura. (Ver en el apéndice C, "Lista de verificación").

La revisión y el mantenimiento diario. Las zonas de juego al aire libre deberán revisarse diariamente en busca de vidrios rotos, basura y otros materiales nocivos como heces de animales y químicos de jardinería o pintura.

La revisión y el mantenimiento mensual. Una vez al mes revise lo siguiente :

- ❖ fisuras visibles, dobladuras o deformaciones, oxidamiento o roturas de cualquier equipo;
- ❖ ganchos, anillos, eslabones, etc., defectuosos o rotos;
- ❖ cadenas y varillas de columpio gastadas;
- ❖ asientos de columpio faltantes, averiados o sueltos;
- ❖ soportes o pernos rotos;
- ❖ bases de cemento expuestas, agrietadas o flojas;
- ❖ bordes o puntas sobresalientes o cortantes;
- ❖ extremos de tubería expuestos sin tapas ni cubiertas;
- ❖ pernos sobresalientes sin tapa ni cubierta;
- ❖ pernos, tuercas o tornillos sueltos;
- ❖ madera astillada, agrietada o deteriorada;
- ❖ falta de lubricación en piezas móviles;
- ❖ barandas, gradas o sillas rotas o faltantes;
- ❖ material de revestimiento gastado o disperso;
- ❖ superficies endurecidas, especialmente debajo de los columpios, donde los materiales elásticos se hayan movido;

- pintura rayada o descascarada; y
- puntos de desgaste o fractura, mecanismos expuestos y piezas móviles.

Le será útil usar algunos elementos de esta lista y de las listas de verificación del apéndice C para elaborar una lista propia y documentar la revisión y mantenimiento continuos del espacio de juego al aire libre en su guardería.

Los materiales amortiguadores. Cualquier superficie a más altura que 18 a 24 pulgadas deberá descansar sobre 8 a 12 pulgadas de material amortiguador que cumpla con las directrices dadas en los Estándares de Seguridad para el Consumidor. Evite usar caucho, arena, gravilla o astillas de madera con las que los niños puedan asfixiarse.

La protección contra la exposición solar. Anime a las familias a proporcionarle sombreros, gafas de sol y protector solar a los niños. Durante los días demasiado calientes ofrézcale agua a los pequeños. Si no hay una sombra alrededor donde puedan descansar del sol, podrá crearla tendiendo una sábana desde una cerca, instalando una carpa o usando un toldo.

"Mi espacio al aire libre y mi presupuesto son limitados. ¿Cómo puedo aprovecharlos al máximo?"

El dinero y el espacio necesarios para jugar al aire libre muchas veces son escasos. Pero no tanto como para desesperarse; pensando un poco y planeando con cuidado, podrá brindarle a los niños experiencias al aire libre seguras y valiosas. A continuación, le ofrecemos algunas sugerencias para ayudarle a aprovechar su espacio al máximo:

Utilice lo que le ofrezca la naturaleza. Aproveche el pasto suave para sentarse y jugar en él, los troncos cortados para trepar y la vida silvestre con sus diversos sonidos y texturas. Aunque aquí le sugerimos llevar algunos juguetes y planear algunas actividades al aire libre, trate de no cargar muchas cosas ni ocuparse demasiado en la preparación de juegos para que no olvide dedicarle un poco de tiempo a ver alguna ardilla trepando un árbol o rodarse por un montículo de buen pasto con los niños.

Sea flexible: Tanto su espacio como lo que pueden hacer los niños variará conforme cambie el clima. Sin embargo, usted podrá transformar el espacio y diversificar las experiencias infantiles con objetos como tablones, cajas, llantas y pelotas.

Planee salidas descomplicadas. Seguramente usted saldría más a menudo con los niños si pudiera reducir las complicaciones que implica hacerlo. Tenga en cuenta, sin embargo, que por más que no le guste ponerles los trajes de nieve ni buscar botas perdidas, eso ayuda a entender que vestirse es una experiencia valiosa en sí misma. Los días que desee salir a caminar con los niños, lleve una mochila de colgar en el hombro o en la espalda con protector solar, pañuelos desechables, un botiquín de primeros auxilios, los números telefónicos de emergencia y suficientes monedas para poder usar un teléfono público. Si añade un recipiente con solución para hacer burbujas, tendrá a la mano suficiente material con qué entretenerse.

Adapte su ambiente para los niños con necesidades especiales. Según la *Americans with Disabilities Act—ADA* (Ley para los Estadounidenses con Impedimentos), todo espacio de juego al aire libre deberá garantizar que los niños con necesidades especiales puedan tener experiencias iguales o equivalentes a las de los demás niños. Muchas de las adaptaciones requeridas son fáciles y sólo cuestión de sentido común. Por ejemplo, una rampa sencilla facilitará la entrada y salida de los cochecitos o las sillas de ruedas. Piense en usar carritos de jalar para los paseos; ponga especial cuidado en retirar equipo que pueda voltearse fácilmente si un niño se apoya o se recuesta completamente. Si se necesitan mayores adaptaciones, busque opciones de financiación, incluso en el comercio y las organizaciones cívicas locales. Algunos programas pueden ser elegibles para obtener crédito o deducciones de impuestos bajo la *ADA* con el fin de efectuar adaptaciones estructurales.

Visite y hablen con sus colegas para obtener ideas. Nunca se sabe lo que se puede aprender. Iván, por ejemplo, oyó de los jardines en carretillas en una conferencia a la que asistió el año pasado.

"¿Debo dividir mi espacio al aire libre en áreas diferentes?"

Idealmente hablando, un espacio al aire libre para la recreación de bebés, gateadores y caminadores deberá incluir tres zonas: un área sombreada con pasto para los bebés y los gateadores, un área con algo para treparse, y otra para usar los juguetes de montar que también tenga un lugar para jugar con arena y agua. Estas tres áreas le permitirán diversificar las experiencias que los niños menores de tres años indudablemente disfrutarán.

Además, piense en lugares de su comunidad que los niños puedan visitar. Por ejemplo, a ellos podría gustarles jugar en un parque público del barrio, hacer "salidas de campo" a la tienda de la esquina o caminar por la calle hasta un árbol grande en medio de las hojas caídas y recoger un buen manojo de ellas.

"¿Qué tipos de experiencias al aire libre podría ofrecerle a los bebés, los gateadores y los caminadores?"

El juego al aire libre deberá ser una actividad regular en su horario diario (en lo posible, programe salidas en las mañanas y en las tardes). Hay tres tipos de experiencias al aire libre que los niños menores de tres años disfrutan especialmente: la exploración sensorial, el juego de motricidad gruesa y el de motricidad fina.

La exploración sensorial

Por los sonidos como el canto de los pájaros, las bocinas de los autos, las distintas texturas del pasto, la corteza de los árboles y la arena, así como los encendidos colores del cielo, las flores y las hojas, salir al aire libre es perfecto para la exploración sensorial. Para aprovechar aquello que la naturaleza ofrece, considere las siguientes ideas:

Cree patrones de luz interesantes. Cuelgue láminas acrílicas de colores de la rama de un árbol o de una cerca. También pueden colgarse retazos grandes de tela colorida, de manera que el sol se filtre un poco y a la vez haya sombra.

Haga que se vea y se oiga el viento. Cuelgue de una cerca telas, estandartes, paracaídas, moldes para pasteles y campanillas. Anime a los niños a mirar, oír y tocar los objetos.

Reconozca los olores. Con los gateadores y los caminadores se pueden sembrar flores y hierbas. Llame la atención de los niños al olor del pasto, las hojas secas y la lluvia.

Siembre alimentos para las meriendas. Siembre lechuga, arveja, zanahoria y hierbas para que los niños las prueben.

Paseen para explorar las texturas. Fije la atención de los gateadores y los caminadores en la áspera corteza de un árbol, en las puntiagudas y pegajosas piñas de pino o en una piedra lisa. Los pequeños estarán felices de poder coleccionar algunos de estos objetos en baldes.

Coman al aire libre. Extienda una cobija y disfruten juntos de un pícnic.

Lleve una lupa. A los caminadores más grandecitos les fascinará ver las hojas y flores agrandadas bajo la lente.

Salgan, aunque llueva o nieve ligeramente. A muchos gateadores grandecitos y a los caminadores les encanta saltar en los charcos. Si están debidamente vestidos para la nieve, les gustará sentir los copos en las mejillas o marcar las huellas en la nieve. Cuando el clima sea demasiado inclemente como para salir, lleve adentro el aire libre. Por ejemplo, llene platones con nieve e invite a los niños a jugar con ella.

El juego de la motricidad gruesa

Mover el cuerpo es algo natural para los niños de cero a tres años. Con el fin de fomentar el juego de la motricidad gruesa, considere algunas de las siguientes ideas:

Organice sitios seguros para los bebés más pequeños. Una cobija extendida sobre el pasto y retirada del paso de los niños más grandes constituye sitio seguro para que los bebés se estiren, alcancen juguetes y practiquen voltearse. A algunos bebés les gustará sentir el pasto mientras que a otros no. Como juego, puede colocarse un bebé bocabajo en una cobija y darle un "paseo" (jalándola alrededor).

Anime a los gateadores a moverse creando espacios atractivos. Para esto usted podría, por ejemplo, sacar al aire libre cajas de cartón, túneles de tela, rampas forradas o una mesa cubierta con una cobija para crear sitios donde los niños puedan entrar, esconderse y salir.

Proporciónele a los gateadores algo de qué sujetarse. Muéstrele a los pequeños cómo agarrarse de una cerca o de un banco bajito. Considere la idea de construir una baranda baja —a unas 8 ó 12 pulgadas del suelo— para animar a los gateadores a "recorrer" su mundo.

Proporciónelеs lugares seguros para trepar. Un "trepador" no necesita sobrepasar las 18 pulgadas (45 cm.) de altura. Los escalones deberán ser anchos y bajos, y llegar a una plataforma amortiguada en que puedan acomodase dos o tres niños a la vez. Además deberá tener barandas para que los chicos se sujeten cuando necesiten apoyarse para mantener el equilibrio.

Dele a los caminadores juguetes de ruedas. Los juguetes de montar, los carros de jalar, las carretillas y los cochecitos para muñecas les proporcionan a los caminadores muchas formas de moverse a sí mismos y de mover sus muñecos y juguetes de un sitio a otro.

Practique juegos de movimiento con los gateadores y los caminadores. Invite a los chicos a revolotear como mariposas, a contonearse como gusanos o a hacer de cuenta que son pichones de pájaro que salen volando del nido y regresan a él. Jueguen a mover sus propias sombras. Jueguen "seguimiento" o a "¿Puedes hacer lo que hago yo?".

Invente juegos que fomenten el desarrollo de la motricidad gruesa. Se puede hacer una "senda para equilibristas" extendiendo en el suelo una bufanda o un pedazo de cuerda para que los niños caminen por él. Arme un juego de bolos en que los niños traten de tumbar envases plásticos de gaseosa vacíos con una pelota de playa. Desafíe a los caminadores mayorcitos a encestar la pelota en una canasta de la ropa o en una caja grande. Sópleles burbujas e invítelos a perseguirlas.

El juego de la motricidad fina

El juego al aire libre les proporciona a los niños abundantes oportunidades de usar su motricidad fina. Los siguientes son unos cuantos ejemplos:

Recolectar objetos naturales pequeños. A los gateadores y a los caminadores les encanta coleccionar hojas, piñas de pino, semillas de arce o palitos y ponerlas en carritos de jalar, baldes u otros recipientes con agarraderas. A veces les gusta guardarlos un tiempo o pueden preferir simplemente transportarlos de un sitio a otro y después botarlos.

El juego con arena. Muchas actividades expuestas en el capítulo 21, "El juego con arena y agua", pueden llevarse al aire libre sin la preocupación de que haya regueros en la casa. Recuerde cubrir los cajones de arena cuando no los estén usando, pues son un lugar preferido por los gatos.

El juego con agua. A los caminadores les gusta pintar las cercas, aceras o paredes con agua. Los días calurosos, les encanta chapotear en un platón de agua. (Cerciórese de vaciar, limpiar y desinfectar el platón al terminar). También podrán divertirse mucho con una manguera.

El arte. Para los caminadores, amasar plastilina y pintar al aire libre constituyen experiencias nuevas. Anímelos a crear esculturas naturales agregándole objetos naturales a la plastilina. Los niños pueden coleccionar y pintar ramitas, piedras y hojas.

La lectura. Siéntense bajo un árbol y léales libros sobre el aire libre. Haga un libro de texturas pegando hojas, musgo, ramitas y piedrecillas en páginas de cartón.

El juego representativo. Ofrézcale a los caminadores accesorios tales como muñequitos y animalitos de caucho y carritos de plástico para la arena. Anímelos a pensar qué hace cada juguete o hacia dónde va.

Invite a los niños a explorar al aire libre

Es fácil creer que salir al aire libre sea un descanso; y aunque un cambio de escenario es muy refrescante, los niños necesitan que usted permanezca "en servicio" observando, interactuando y, a veces, jugando con ellos. Esto no quiere decir que usted no pueda sentarse un momento y conversar con un colega; sino que, al aire libre, los niños dependen de usted totalmente —igual que adentro— para mantenerlos seguros y responderles en formas que realcen y hagan gratas sus experiencias. A continuación, le presentamos algunas estrategias que usted podrá poner en práctica.

Los bebés

Los bebés como Julio y Jasmine generalmente disfrutan los sonidos y las imágenes del aire libre. Para ellos, estar afuera no sólo es un cambio de escenario, sino una experiencia interesante en sí misma. Aunque Julio se duerma, muchos bebés de la edad de Jasmine disfrutarán observando a otros niños, sentándose y jugando sobre una cobija, gateando por el pasto o acercándosele a un adulto que esté leyendo un cuento o cantando una canción.

Para realzar el placer que sienten los niños de explorar al aire libre, háblelesobre lo que estén experimentando. Podría hacer y decirles algo como:

- ❖ **Describa la experiencia:** "¿Te gusta sentir la brisa en tu pelo?".
- ❖ **Ayúdeles a sentirse seguros:** "Voy a cargarte para que puedas ver a los demás niños".
- ❖ **Refleje las emociones del bebé:** "Te encanta tocar el pasto, ¿no?".
- ❖ **Estimule sus exploraciones:** "¡Encontraste montones de cosas interesantes en el pasto!".

- **Disfruten juntos de sonidos interesantes:** "¿Oyes cómo repican las campanitas? Cling-clang, cling-clang".

Los gateadores

A Willard y a Abby les fascina salir al aire libre. Todas las mañanas Willard se muestra ansioso cuando Grace le pregunta si está listo para salir. Abby a veces le pregunta a Brooks: "¿Salimos?", mientras se dirige a buscar su cochecito.

Los gateadores no necesitan que se les impulse mucho para comenzar a gatear, a recorrer un sitio o a trepar. A algunos les gustan los juegos que implican movimientos sencillos. A casi todos les encanta excavar en la arena, jugar con agua, jalar juguetes de ruedas, y llenar y vaciar recipientes.

Conforme vaya interactuando con gateadores, convérseles para realzar así su diversión y aprendizaje.

- **Estimule el aprecio y el respeto por la naturaleza:** "Sentémonos aquí a ver cómo se sube la ardilla al árbol".
- **Fomente el sentido de capacidad:** "¡Explotaste todas las burbujas!".
- **Describa e indentifique sonidos conocidos:** "¿Oyen el viento pasando entre las hojas?".

- **Haga notar las diferencias en el entorno natural:** "Hoy hace más frío que ayer. Tal vez va a nevar".
- **Fomente la interacción social positiva:** "Ahora pasémosle la pelota a Lianna".

Los caminadores

Leo, Matthew, Gena y las gemelas han pasado montones de tiempo al aire libre a lo largo de varios meses e, incluso, años. Mediante estas experiencias han aprendido nuevos conceptos y vocabulario. Su desarrollo motriz grueso y fino les permite controlar más mientras exploran y juegan. Su creciente imaginación le abre la puerta al juego representativo más complejo. A continuación, incluimos algunas maneras de interactuar con los caminadores para apoyar estos aprendizajes nuevos:

- **Estimule la adquisición de vocabulario relacionado con el aire libre:** "Estas semillitas de arce me hacen pensar en helicópteros aterrizando".
- **Explique los conceptos nuevos:** "Las hormigas van a su casa debajo de la tierra".
- **Anime el movimiento y la exploración:** "¿Puedes saltar como el saltamontes?".
- **Fomente el uso de la motricidad fina:** "¿Puedes colocar esta piñita en la pila de hojas?".
- **Estimule la imaginación:** "¿Qué creen que dice el pajarito cuando hace 'pío, pío, pío'?".

El espacio al aire libre ofrece oportunidades únicas de que los niños exploren y aprendan. Al incorporar las salidas al aire libre en la vida cotidiana de su guardería, le abrirá a los niños una puerta a un mundo que podrán disfrutar por el resto de la vida.

Algunas ideas sobre el juego al aire libre

Estimadas familias:

Estar al aire libre es sumamente agradable para los niños. Además, les brinda —tanto a ellos como a ustedes— la oportunidad de estirar los músculos, respirar aire fresco, recibir sol (o disfrutar de la lluvia o la nieve) y gozar de la libertad del espacio abierto.

Jugar al aire libre contribuye al crecimiento de los niños en varias formas:

Cuando él/ella:	**Su hijo(a) aprende:**
gatea sobre el pasto	a explorar con todos sus sentidos
se trepa sobre el tronco de un árbol cortado	a hacer uso de su motricidad gruesa
recoge una bellota y la coloca en una canasta	a hacer uso de su motricidad fina
observa a una ardilla que trepa a un árbol	a apreciar la naturaleza
hace rodar una pelota y la dirige a otro(a) niño(a)	destrezas sociales

Lo que ustedes pueden hacer en el hogar

Las siguientes son unas cuantas actividades que ustedes podrían poner en práctica la próxima vez que salgan con sus hijos. Probablemente, algunas ustedes ya las practican. Otras, esperamos que les sirvan de inspiración:

- *Disfruten de la naturaleza.* Hablen sobre la brisa que toca sus mejillas. Rueden juntos por una pendiente. Planten un jardín en su patio, en materas, o en una carreta que puedan mover y poner al sol. Lleven un balde para que los pequeños puedan recolectar bellotas, hojas, piedritas, etc.
- *Vayan a caminar y noten texturas.* Háganles notar a los niños la suavidad de la arena, la dureza de las bellotas y la suavidad y firmeza de algunas piedras.
- *Inventen juegos.* Creen un “sendero de equilibrio” mediante un lazo puesto sobre el terreno y sobre el que puedan caminar los niños. Jueguen a “lanzar y atrapar”. Organicen un juego de “bolos” en el que los pequeños traten de derribar cajas vacías con una pelota.
- *Lleven al exterior algunas de las actividades que siempre realizan adentro.* Lean un libro sentados bajo la sombra de un árbol. Permítanles “pintar” una pared exterior con una brocha y agua.

Trabajando juntos, podremos hacer que sus hijos disfruten de las maravillas del mundo al aire libre.

Les saluda atentamente,

Parte V Apéndices

Autoevaluación

Metas y objetivos de los encargados-maestros

Encargado-maestro: ______________________ **Fecha:** ____________

Instrucciones: Lea cada meta, sus objetivos y los ejemplos. Califíquese en cada objetivo escribiendo una X en la casilla correspondiente. En las líneas a continuación de la palabra ***Comentarios,*** escriba ejemplos que expliquen su calificación o que describan cómo podría mejorar.

Meta 1: Construir relaciones receptivas

Objetivo: Con el tiempo, construir relaciones positivas y de confianza con cada niño

CALIFICACION

[5] ALTO
[4]
[3]
[2]
[1] BAJO

Ejemplos:

- Alimente, cambie y permita que los bebés hagan siestas según lo requieran
- Ofrezca un cuidado consistente todos los días para que cada niño desarrolle vínculos afectivos
- Refleje las emociones y sentimientos de los niños (por ejemplo, demuestre emoción cuando un pequeño haga algún descubrimiento o logre hacer algo que antes no podía; responda con amabilidad si algún niño se siente molesto)

Comentarios: ______________________

Objetivo: Construir relaciones positivas con las familias para respaldar el desarrollo y el progreso infantil

CALIFICACION

[5] ALTO
[4]
[3]
[2]
[1] BAJO

Ejemplos:

- Interactúe diariamente con las familias en formas positivas, responda a las preguntas y coménteles el progreso de los niños
- Reconozca que los valores de los padres deberán tenerse en cuenta en el programa (por ejemplo, consulte a los padres sobre las cuestiones dietéticas específicas; comente con ellos la manera de manejar los comportamientos desafiantes)
- Anime a los padres a participar con regularidad en las actividades del programa, o en las conferencias y a participar en las salidas

Comentarios: ______________________

Meta 1: Construir relaciones receptivas (continuación)

Objetivo: Trabajar con colegas y representantes de la comunidad para respaldar a los niños y a las familias

CALIFICACION
5 ALTO
4
3
2
1 BAJO

Ejemplos:

- Colabore con especialistas y remita a los niños con impedimentos a los servicios de la comunidad
- Consulte a sus colegas y a representantes de la comunidad con el fin de formular procedimientos para reportar cualquier sospecha de abuso infantil
- Mantenga unas "páginas amarillas" de los recursos comunitarios, los servicios que ofrecen, a quien pueda contactarse y los teléfonos

Comentarios: ______________________________

____

____

____

Meta 2: Planificar y manejar un programa apropiado al nivel de desarrollo infantil

Objetivo: Planificar y evaluar un programa que atienda las necesidades de los niños y las familias con quienes trabaja

CALIFICACION
5 ALTO
4
3
2
1 BAJO

Ejemplos:

- Especifique las metas y objetivos de su programa a largo y a corto plazo
- Formule un horario diario que le permita realizar actividades individuales y en grupos pequeños, balancear los momentos activos y tranquilos, y responder a las necesidades e intereses infantiles
- Evalúe continuamente la eficacia de sus planes y ajústelos según sea necesario

Comentarios: ______________________________

____

____

____

Objetivo: Observar a los niños con regularidad e individualizar el programa con base en dichas observaciones

CALIFICACION
5 ALTO
4
3
2
1 BAJO

Ejemplos:

- Observe a los niños regularmente para aprender sobre sus características personales especiales, temperamentos y estilos de aprendizaje
- Complete la planilla *Individualización de metas y objetivos con los niños* y el *Plan de individualización* para cada niño, al menos tres veces durante el año
- Especifique las metas y objetivos curriculares para cada niño con base en las destrezas y necesidades observadas

Comentarios: ______________________________

____

____

____

Meta 2: Planificar y manejar un programa apropiado al nivel de desarrollo infantil (continuación)

Objetivo: **Crear un ambiente cálido y acogedor que fomente el desarrollo y el progreso infantil**

CALIFICACION: 5 ALTO · 4 · 3 · 2 · 1 BAJO

Ejemplos:
- Cree un ambiente que fomente la confianza y la seguridad (por ejemplo, espacios para gatear y acunarse; texturas suaves y abrazables; materiales seguros e higiénicos)
- Ofrezca materiales y juguetes que estimulen los sentidos de los niños, desarrollen las destrezas y, de ser necesario, sean adaptables para los niños con necesidades especiales
- Provea un espacio al aire libre en que los niños puedan jugar y explorar sin peligro

Comentarios: ____________________

Objetivo: **Garantizar la seguridad infantil en el programa**

CALIFICACION: 5 ALTO · 4 · 3 · 2 · 1 BAJO

Ejemplos:
- Utilice con regularidad la *Lista de verificación de la seguridad* para garantizar que se tomen medidas preventivas a fin de reducir los riesgos de lesiones
- Mantenga a su alcance los procedimientos de emergencia para los casos repentinos de emergencia o los desastres naturales
- Equilibre la necesidad infantil de seguridad y su necesidad de explorar

Comentarios: ____________________

Objetivo: **Mantener la salud infantil en el programa**

CALIFICACION: 5 ALTO · 4 · 3 · 2 · 1 BAJO

Ejemplos:
- Mantenga a la mano procedimientos para responder a las emergencias de salud
- Adopte procedimientos apropiados de higiene y limpieza para prevenir la propagación de enfermedades
- Ofrezca meriendas y comidas bien balanceadas que suplan las necesidades nutricionales de los niños

Comentarios: ____________________

Objetivo: **Orientar el comportamiento infantil en formas positivas**

CALIFICACION: 5 ALTO · 4 · 3 · 2 · 1 BAJO

Ejemplos:
- Organice el entorno en forma tal que se eliminen los problemas potenciales de comportamiento (por ejemplo, proporcione duplicados de los juguetes preferidos, remueva aquellos que puedan romperse y ofrezca actividades tranquilizantes)
- Trabaje con las famlilias para ofrecerle a los niños mensajes consistentes en el hogar y en la guardería
- Formule estrategias para facilitarle a los niños a expresar la frustración y la rabia en formas positivas (mediante las palabras o el juego representativo en vez de golpeando o mordiendo)

Comentarios: ____________________

Meta 3: Propiciar el desarrollo y el aprendizaje infantil

Objetivo: **Utilizar las rutinas como oportunidades de progresar y aprender**

CALIFICACION 5 ALTO · 4 · 3 · 2 · 1 BAJO

Ejemplos:

- Responda y repita los sonidos que hagan los bebés; hable, cante y haga juegos de palabras mientras alimente, cambie y vista a los niños
- Ofrézcales juguetes para estimular el juego durante las rutinas
- Explique lo que se está haciendo durante una rutina y haga preguntas, incluso a los niños que aún no hablan

Comentarios: ____________________

Objetivo: **Ofrecer actividades que fomenten el progreso y el aprendizaje infantil**

CALIFICACION 5 ALTO · 4 · 3 · 2 · 1 BAJO

Ejemplos:

- Ofrezca materiales y juguetes que los niños puedan llevarse a la boca, agitarlos, abrazarlos y explorarlos con todos los sentidos
- Planee actividades diarias para los niños: arte, juego al aire libre, experiencias alimenticias, etc., y a medida que crezcan incremente los períodos de actividades
- Presente las actividades como algo natural del día del niño

Comentarios: ____________________

Meta 4: Continuar aprendiendo sobre los niños, las familias y el campo de la educación infantil temprana

Objetivo: **Capacitarse para adquirir más destrezas y conocimiento**

CALIFICACION 5 ALTO · 4 · 3 · 2 · 1 BAJO

Ejemplos:

- Busque oportunidades de capacitación ofrecida por organizaciones profesionales
- Solicite la asistencia de colegas, supervisores y las familias para adquirir nuevas destrezas
- Identifique las áreas en que la capacitación adicional mejoraría el desempeño de su trabajo

Comentarios: ____________________

Objetivo: **Participe en organizaciones de educación infantil temprana**

CALIFICACION 5 ALTO · 4 · 3 · 2 · 1 BAJO

Ejemplos:

- Lea libros y publicaciones especializadas de organizaciones profesionales sobre la infancia (como *Young Children, Child Development, Child Care Information Exchange, Zero to Three*)
- Asista a conferencias locales, estatales y nacionales patrocinadas por organizaciones profesionales
- Organice talleres o presente trabajos sobre temas de interés

Comentarios: ____________________

Meta 4: Continuar aprendiendo sobre los niños, las familias y el campo de la educación infantil temprana (continuación)

Objetivo: **Observar a colegas para aprender nuevas técnicas y métodos exitosos**

CALIFICACION
5 ALTO
4
3
2
1 BAJO

Ejemplos:
- Visite y observe a colegas y otros programas
- Solicite la asistencia de colegas o supervisores para modelar destrezas específicas de enseñanza o de interacción con los niños
- Trabaje como parte de un equipo; cree un sistema de apoyo mutuo con colegas

Comentarios: ______________________________

Meta 5: Mantener unos estándares profesionales

Objetivo: **Actuar éticamente en todo intercambio con los niños, las familias y los representantes de la comunidad**

CALIFICACION
5 ALTO
4
3
2
1 BAJO

Ejemplos:
- Hable con sinceridad, sea confiable y alguien con quien se pueda contar dependable; no se ausente de su trabajo y comuníquele a las familias las políticas del programa (por ejemplo, las vacaciones y ausencias; tanto suyas como de los niños)
- Al ejecutar las rutinas actúe concienzudamente (por ejemplo, cambie a los niños cuando estén mojados; no permita que los niños se sienten adentro con los abrigos puestos; reconforte a los que lloren)
- Ponga en práctica todos los reglamentos relativos a la seguridad y la salud infantil, el tamaño del grupo, las proporciones adulto-niños y los procedimientos para reportar los casos de abuso infantil

Comentarios: ______________________________

Objetivo: **Respetar la privacidad y confidencialidad de niños y padres**

CALIFICACION
5 ALTO
4
3
2
1 BAJO

Ejemplos:
- Comparta los datos de los niños únicamente con la familia y los profesionales que "deban saber"
- Mantenga los datos de los niños —incluidas las observaciones— en un lugar seguro
- No haga comentarios en público ni con colegas sobre los niños o las familias (a menos que exista alguna razón en la programación para hacerlo)

Comentarios: ______________________________

Meta 5: Mantener unos estándares profesionales (continuación)

Objetivo: Demostrar respeto por todos los niños y familias

CALIFICACION 5 ALTO · 4 · 3 · 2 · 1 BAJO

Ejemplos:

- Busque maneras para lograr comunicarse con todas las familias (por ejemplo, aprenda unas cuantas palabras en el idioma de cada niño, visite los hogares)
- Programe reuniones y conferencias para atender las necesidades de alguna familia en particular
- Solicite información a las familias sobre la cultura del hogar

Comentarios: ______________________________

Meta 6: Abogar por los niños y las familias

Objetivo: Educar a otros sobre la necesidad de estándares altos y programas de calidad

CALIFICACION 5 ALTO · 4 · 3 · 2 · 1 BAJO

Ejemplos:

- Preséntele a las familias *El Currículo Creativo para niños de cero a tres años*; distribuya y comente las *Cartas a las familias*
- Utilice las reuniones y talleres con los padres y colegas para hacer énfasis en la importancia de un programa de calidad para niños de cero a tres años
- Comparta informes de investigación y evaluación con quienes formulan políticas y con los padres

Comentarios: ______________________________

Objetivo: Trabajar con las agencias comunitarias para respaldar a los niños y las familias

CALIFICACION 5 ALTO · 4 · 3 · 2 · 1 BAJO

Ejemplos:

- Apoye las organizaciones que se esfuerzan por mejorar los salarios y beneficios de los educadores de la infancia temprana
- Participe en campañas para elegir a representantes que respalden las cuestiones relativas a los niños y las familias; cabildee ante los funcionarios elegidos a fin de aprobar leyes que respalden las cuestiones relativas a los niños y las familias
- Invite a los representantes comunitarios a visitar su programa y observar lo que se está haciendo para respaldar a los niños y las familias

Comentarios: ______________________________

Planillas de planificación e individualización

Con el fin de ayudarle a planificar su programa e individualizar su trabajo con los niños y las familias en este apéndice se incluyen las siguientes planillas en blanco:

Plan semanal

Metas y objetivos propuestos: ______________________________

____

Semana: ______________________________

Cambios al espacio o entorno:

Actividades especiales que pienso ofrecer esta semana

	lunes	martes	miércoles	jueves	viernes
Oportunidades de exploración y descubrimiento adentro					
Oportunidades de exploración y descubrimiento al aire libre					

Cambios a la rutina diaria

Participación de las familias

Qué hacer

Individualización de metas y objetivos con los bebés

(niños de 0 a 8 meses)

Nombre del niño: ______________________ **Encargado-maestro:** ______________________

Fecha de nacimiento: ______________________

Meta 1: Aprender acerca de sí mismos	
Objetivos	**Notas (fechar cada anotación)**
Sentirse apreciado y seguro en sus relaciones Ejemplos: ❖ sonríe y demuestra placer cuando se le habla ❖ mueve el cuerpo en dirección al encargado cuando se le acerca ❖ disfruta los juegos con otros como "¿Adónde está tu nariz?".	
Sentirse capaces y orgullosos de lo que pueden hacer Ejemplos: ❖ golpea un móvil y sonríe ❖ aprieta un juguete de caucho y demuestra satisfacción al producir sonido ❖ lanza una pelota y se ríe a medida que rebota	
Demostrar independencia Ejemplos: ❖ aleja el biberón ❖ se jala el pañal cuando se le cambia ❖ agarra la cuchara cuando se le alimenta	
Meta 2: Aprender acerca de los sentimientos	
Comunicar una amplia gama de sentimientos mediante gestos, sonidos y, más adelante, palabras Ejemplos: ❖ llora al escuchar ruidos fuertes y súbitos ❖ balbucea y sonríe cuando se le mece y se le canta ❖ se ríe al jugar "¡Aqui estoy!" (desaparecer y reaparecer)	
Expresar los sentimientos en formas apropiadas Ejemplos: ❖ al llorar, levanta los brazos para indicar la necesidad de ser alzado y reconfortado ❖ salta para que el adulto continúe cargándole en las rodillas ❖ mira al adulto conocido cuando se acerca alguien desconocido	

Meta 3: Aprender acerca de los demás	
Objetivos	**Notas (fechar cada anotación)**
Adquirir confianza en los adultos cariñosos Ejemplos: ❖ escucha atentamente al adulto cuando se le cambia o alimenta ❖ al aparecer un adulto conocido agita las piernas y chilla ❖ mira al adulto en busca de atención o ayuda	
Interesarse por sus compañeros Ejemplos: ❖ observa a los demás niños ❖ trata de acercarse para tocarle la cara a otro bebé ❖ trata de agarrar el juguete que tiene otro bebé	
Demostrar interés y cooperación Ejemplos: ❖ abraza una muñeca ❖ acaricia al adulto en la espalda al ser sostenido ❖ levanta la cadera al ser cambiado en respuesta a las acciones del encargado	
Experimentar roles y relaciones por medio de la imitación y el juego representativo Ejemplos: ❖ sonríe consigo mismo en el espejo ❖ juega "¡Aqui estoy!" (desaparecer y reaparecer) ❖ juega a alimentar a un adulto conocido	
Meta 4: Aprender a comunicarse	
Expresar las necesidades y el pensamiento sin utilizar palabras Ejemplos: ❖ sonríe para invitar a un adulto a participar ❖ se agita o llora cuando se siente incómodo o aburrido ❖ sostiene un sonajero en alto para que un adulto lo haga sonar	
Identificarse con la lengua del hogar o materna Ejemplos: ❖ escucha las conversaciones ❖ reconoce y comienza a imitar los sonidos de la lengua del hogar ❖ comprende los nombres de los objetos	

Meta 4: Aprender a comunicarse (continuación)	
Objetivos	**Notas (fechar cada anotación)**
Responder a instrucciones verbales y no verbales Ejemplos: ❖ mira cuando se le llama por su nombre ❖ abre la boca cuando el adulto abre la suya y le ofrece una cucharada de comida ❖ toca el espejo cuando el adulto pregunta: "¿Adónde está el bebé?"	
Comunicarse por medio del lenguaje Ejemplos: ❖ vocaliza consigo mismo y con otros ❖ comienza a balbucear ❖ imita la manera de pronunciar y entonar	
Meta 5: Aprender a moverse y hacer	
Desarrollar la motricidad gruesa Ejemplos: ❖ sostiene la cabeza en alto sin soporte ❖ se da vuelta y se sienta solo ❖ comienza a arrastrarse y a gatear	
Desarrollar la motricidad fina Ejemplos: ❖ agarra una rebanada de banano y se la come ❖ quita los palitos grandes de un tablero ❖ pasa objetos de una mano a la otra	
Coordinar los movimientos de ojos y manos Ejemplos: ❖ sigue con los ojos un juguete movido lentamente por un adulto ❖ se mira las manos ❖ se acerca y agarra un sonajero	
Adquirir destrezas de autonomía Ejemplos: ❖ comienza a sostener el biberón ❖ comienza a comer alimentos que puede agarrar con los dedos	

Meta 6: Adquirir destrezas de pensamiento	
Objetivos	**Notas (fechar cada anotación)**
Adquirir conceptos y relaciones elementales Ejemplos: ❖ recoge el chupo y lo chupa ❖ deja caer la cuchara y la observa caer al suelo ❖ cierra los ojos mientras el adulto le quita la camiseta por encima de la cabeza	
Usar el conocimiento en situaciones nuevas Ejemplos: ❖ agita el animal de felpa tal como el sonajero para escuchar el sonido ❖ patea el nuevo juguete de la cuna para ver si se mueve ❖ aprieta y prueba los nuevos alimentos que puede agarrar con los dedos	
Desarrollar estrategias para resolver problemas Ejemplos: ❖ usa la mano para apoyarse cuando se sienta ❖ alcanza un juguete que se rodó ❖ levanta el biberón a medida que desciende el nivel de leche	

Individualización de metas y objetivos con los gateadores (niños de 8 a 18 meses)

Nombre del niño: ______________________ **Encargado-maestro:** ______________________

Fecha de nacimiento: ______________________

Meta 1: Aprender acerca de sí mismos

Objetivos	Notas (fechar cada anotación)
Sentirse apreciados y seguros en sus relaciones Ejemplos: ❖ mira, se dirige y toca a los adultos conocidos al jugar ❖ imita a alguno de los padres o encargados ❖ señala las fotos de la familia	
Sentirse capaces y orgullosos de lo que pueden hacer Ejemplos: ❖ introduce un triángulo en la caja de figuras y aplaude ❖ se trepa en el deslizador y mira orgulloso al encargado ❖ a la hora de la merienda elige un trozo de pera y sonríe al morderla	
Demostrar independencia Ejemplos: ❖ aleja la mano de un adulto que ayuda a hacer un rompecabezas ❖ insiste en escoger la camiseta que usará ❖ dice: "Yo visto", cuando un adulto le ofrece ayuda para vestirse	

Meta 2: Aprender acerca de los sentimientos

Objetivos	Notas (fechar cada anotación)
Comunicar una amplia gama de sentimientos mediante gestos, sonidos y, más adelante, palabras Ejemplos: ❖ se observa en el espejo mientras hace caras de alegría, tristeza o rabia ❖ empuja lejos de sí la comida que no desea ❖ se aferra a los padres al despedirse	
Expresar los sentimientos en formas apropiadas Ejemplos: ❖ le ayuda al encargado a reconfortar a un niño que llora ❖ cuando otro niño toma su juguete dice: "¡No!", en vez de golpearle ❖ al frustrarse busca la ayuda de un adulto	

Meta 3: Aprender acerca de los demás

Objetivos	Notas (fechar cada anotación)
Adquirir confianza en los adultos cariñosos Ejemplos: ❖ le trae un libro a un adulto para leer ❖ disfruta ayudando con las labores (por ejemplo, llevando al baño las toallas de papel) ❖ al asustarse se agarra de la mano o la pierna de la persona encargada	
Interesarse por sus compañeros Ejemplos: ❖ identifica a los familiares y las pertenencias de los otros niños ❖ participa con otros niños y rema en el bote mecedor ❖ conoce los nombres de los otros niños	
Demostrar interés y cooperación Ejemplos: ❖ le ayuda a la persona encargada a sostener el biberón de un bebé ❖ participa en la búsqueda del suéter perdido de un niño ❖ le da un gran abrazo al adulto	
Experimentar roles y relaciones por medio de la imitación y el juego representativo Ejemplos: ❖ representa acontecimientos conocidos (por ejemplo, se pone un sombrero y se mira en el espejo) ❖ garabatea en la lista de las compras que escribe la persona encargada y dice: "leche" ❖ pretende llamar por teléfono a los padres	

Meta 4: Aprender a comunicarse

Objetivos	Notas (fechar cada anotación)
Expresar las necesidades y el pensamiento sin utilizar palabras Ejemplos: ❖ señala para pedir un juguete fuera de su alcance ❖ al preguntársele si tiene hambre, dice "No" con la cabeza ❖ capta la mirada de un adulto para pedirle ayuda	
Identificarse con la lengua del hogar o materna Ejemplos: ❖ mira una muñeca al escuchar la palabra muñeca en la lengua del hogar ❖ usa los mismos sonidos y entonaciones que los padres ❖ dice varias palabras claramente en el idioma del hogar	

Meta 4: Aprender a comunicarse (continuación)	
Objetivos	**Notas (fechar cada anotación)**
Responder a instrucciones verbales y no verbales Ejemplos: ❖ reacciona a las expresiones verbales del adulto ❖ sigue las instrucciones sencillas como: "Tráeme el libro por favor" ❖ empuja el pie en la bota conforme el adulto la jala hacia arriba	
Comunicarse por medio del lenguaje Ejemplos: ❖ inventa largas oraciones de balbuceo ❖ repite las palabras conocidas ❖ llama a la persona encargada por su nombre	
Meta 5: Aprender a moverse y hacer	
Desarrollar la motricidad gruesa Ejemplos: ❖ se levanta y deambula alrededor de los muebles ❖ camina ❖ se sienta en una silla pequeña	
Desarrollar la motricidad fina Ejemplos: ❖ garabatea con una crayola ❖ pasa las páginas de un libro, muchas veces dos y tres a la vez ❖ apila varios bloques, uno encima del otro	
Coordinar los movimientos de ojos y manos Ejemplos: ❖ mezcla los ingredientes al ayudar a preparar plastilina ❖ mete un juguete en un balde ❖ pela la mitad de un banano	
Adquirir destrezas de autonomía Ejemplos: ❖ usa cuchara y pocillo, pero puede regar ❖ mete la mano en la manga de la chaqueta ❖ se desviste	

Meta 6: Adquirir destrezas de pensamiento	
Objetivos	**Notas (fechar cada anotación)**
Adquirir conceptos y relaciones elementales Ejemplos: ❖ llena un balde de bloques y lo vacía una y otra vez ❖ pide la cuchara de madera para golpear el tambor hecho en casa ❖ juega a abrir la puerta con una llave de juguete	
Usar el conocimiento en situaciones nuevas Ejemplos: ❖ sopla la comidaa cuando el adulto le dice que está caliente ❖ ve al gato y dice: "perro" ❖ usa el martillo en vez de la mano para aplastar la plastilina	
Desarrollar estrategias para resolver problemas Ejemplos: ❖ señala una ilustración en un cuento y mira al adulto para saber el nombre del objeto ❖ trae el asiento para ayudar a alcanzar un juguete ❖ intenta introducir varias piezas en la caja de figuras hasta que alguna entre	

Individualización de metas y objetivos con los caminadores (niños de 18 a 36 meses)

Nombre del niño: ______________________ **Encargado-maestro:** ______________________

Fecha de nacimiento: ______________________

Meta 1: Aprender acerca de sí mismos

Objetivos	Notas (fechar cada anotación)
Sentirse apreciado y seguro en sus relaciones Ejemplos: ❖ señala una foto de la familia en el libro de recortes ❖ sabe qué niño está ausente al ver a los presentes ❖ busca ser reconfortado por los encargados y a veces reconforta a algún encargado	
Sentirse capaces y orgullosos de lo que pueden hacer Ejemplos: ❖ se sirve su propio jugo a la hora de la merienda y dice: "¡Yo lo hice!" ❖ le ayuda a otro niño a buscar las crayolas ❖ se para en un pie y dice: "¡Mírame!"	
Demostrar independencia Ejemplos: ❖ insiste en ponerse la chaqueta sin ayuda ❖ participa voluntariamente en una actividad distinta ❖ se despide contento de sus padres y se va a jugar	

Meta 2: Aprender acerca de los sentimientos

Objetivos	Notas (fechar cada anotación)
Comunicar una amplia gama de sentimientos mediante gestos, sonidos y, más adelante, palabras Ejemplos: ❖ exclama: "¡Lo hice!" después de usar el inodoro portátil con éxito ❖ abraza a una muñeca y le da un biberón cariñosamente ❖ levantala mano para "chocarla"	
Expresar los sentimientos en formas apropiadas Ejemplos: ❖ ruge como un león cuando está enojado, en lugar de morder ❖ reconoce las emociones de los demás; por ejemplo: "Camilo está triste" ❖ cuando siente el deseo de morder, muerde una rosca de pan	

Meta 3: Aprender acerca de los demás	
Objetivos	**Notas (fechar cada anotación)**
Adquirir confianza en los adultos cariñosos Ejemplos: ❖ imita las actividades de los adultos (lee un períodico, pone la mesa) ❖ manifiesta la voluntad de ayudar en las tareas adultas como la preparación de la comida o alimentar a los peces ❖ llama a un adulto para mostrar un logro como un dibujo o una torre de bloques.	
Interesarse por sus compañeros Ejemplos: ❖ le gusta participar con otros niños en el juego representativo (pretende conducir un automóvil para ir al mercado) ❖ llama a los otros niños por su nombre ❖ comenta quién es niño o niña	
Demostrar interés y cooperación Ejemplos: ❖ reacciona a las emociones de otros niños (ayuda a los adultos a consolar a los niños que lloran) ❖ colabora con otro niño para terminar una tarea (guarda un rompecabezas) ❖ alimenta y pone a su muñeco a dormir	
Experimentar roles y relaciones mediante la imitación y el juego representativo Ejemplos: ❖ asume papeles sencillos de la vida diaria como hacer la comida e ir al doctor ❖ se pone la gorra y dice: "Me voy a trabajar" ❖ usa objetos para representar otra cosa, (una caja como automóvil, un bloque como teléfono)	

Meta 4: Aprender a comunicarse	
Expresar las necesidades y el pensamiento sin utilizar palabras Ejemplos: ❖ utiliza expresiones faciales para demostrar emoción ❖ llama la atención del adulto cuando necesita apoyo y cariño ❖ se jala los pantalones para indicar que necesita ir al baño	
Identificarse con la lengua materna o del hogar Ejemplos: ❖ habla la lengua del hogar con los familiares y otras personas ❖ habla la lengua usada en la guardería con quienes no hablan la lengua materna ❖ reconoce grabaciones tradicionales y canciones de la cultura de su hogar	

Meta 4: Aprender a comunicarse (continuación)	
Objectives	**Notas (fechar cada anotación)**
Responder a instrucciones verbales y no verbales Ejemplos: ❖ lleva a cabo instrucciones como: "¿Podrías por favor poner estas servilletas en la mesa?" ❖ responde a las expresiones faciales de los adultos (cesa de arrojar bloques cuando el encargado expresa desaprobación) ❖ al apagarse las luces para la siesta se dirige a su colchoneta	
Comunicarse por medio del lenguaje Ejemplos: ❖ cuenta un cuento ❖ cuenta experiencias del fin de semana ❖ habla con otros niños mientras juegan juntos	

Meta 5: Aprender a moverse y hacer	
Desarrollar la motricidad gruesa Ejemplos: ❖ sube las escaleras ❖ tira la pelota ❖ corre	
Desarrollar la motricidad fina Ejemplos: ❖ ensarta cuentas grandes ❖ raya con crayolas y marcadores ❖ pega papeles con pegante	
Coordinar los movimientos de ojos y manos Ejemplos: ❖ arma un rompecabezas sencillo ❖ cierra los ajustadores de Velcro de los zapatos ❖ se sirve jugo en un vaso	
Adquirir destrezas de autonomía Ejemplos: ❖ usa el inodoro portátil y se lava las manos ❖ se sirve leche y jugo de una jarra de plástico pequeña ❖ se pone la gorra y la chaqueta para salir	

Meta 6: Adquirir destrezas de pensamiento	
Objetivos	**Notas (fechar cada anotación)**
Adquirir conceptos y relaciones elementales Ejemplos: ❖ al pintar, experimenta con mezclas de colores ❖ le dice a otro niño: "Tu mami va a venir después de la siesta" ❖ corre hasta el árbol y dice: "Yo corro rápido"	
Usar el conocimiento en situaciones nuevas Ejemplos: ❖ ve un cuadro de una zebra y la llama caballo ❖ pinta con agua en la pared del edificio después de utilizar el caballete ❖ termina un rompecabezas utilizando la conocida técnica de probar las piezas hasta que encajen	
Desarrollar estrategias para resolver problemas Ejemplos: ❖ coopera con otros para llevar a cabo un plan (como llevar los cojines a un lado del salón para jugar a saltar) ❖ pregunta: ¿Por qué? ❖ sumerge las brochas y pinceles en agua para limpiarlas	

Síntesis del desarrollo

Nombre del niño: ______________________________

Fecha de nacimiento: ___________________________

Comente lo que haya aprendido acerca de este niño en cualquiera de las siguientes áreas del desarrollo.

Qué está aprendiendo el niño sobre:

Sí mismo:

Los sentimientos:

Los demás:

La comunicación:

El moverse y hacer:

El pensamiento:

Plan de individualización

Nombre del niño: ______________________ **Padre(s)/Apoderado(s):** ______________________

Fecha de nacimiento: ______________________ **Encargado-maestro:** ______________________

Fecha: ______________________

Preferencias del niño:

Temperamento:

Estilo de aprendizaje:

Necesidades especiales del niño:

Para individualizar mi trabajo con este niño, me propongo hacer los siguientes cambios:

Al entorno (incluyendo los materiales y el equipo):

A las rutinas, transiciones y actividades planeadas:

Al horario diario:

A las interacciones:

Metas de trabajo con las familias

Padre(s)/Apoderado(s): ____________________ **Niño:** ______________________________

Completado por: ____________________________

Meta 1: Establecer la cooperación con las familias	
Objetivos:	**Notas (fechar cada anotación)**
Involucrar a las familias en el proceso de planificación y evaluación del programa	
Escuchar y comentar las preguntas, preocupaciones, observaciones y percepciones de las familias acerca de sus niños	
Hablar con las familias regularmente a la hora de llegar y de regresar sobre cómo les va a los niños en casa y en el programa	
Programar con frecuencia reuniones o visitas a los hogares	
Comentar con las familias los comportamientos desafiantes	
Resolver los desacuerdos con las familias respetuosamente	
Ayudar a las familias a acceder a los recursos comunitarios	

Pasos siguientes:

____

____

____

____

Meta 2: Respaldar a las familias en su papel de padres

Objetivos	Notas (fechar cada anotación)
Demostrar respeto por el enfoque familiar respecto a la crianza y sus sentimientos acerca de compartir el cuidado infantil	
Celebrar con las familias cada logro del desarrollo de sus pequeños	
Incorporar en el programa diario las costumbres y preferencias de las familias	
Ofrecer seminarios y capacitación en desarrollo infantil y otros temas de interés para las familias	
Ayudarle a las familias a relacionarse entre sí para intercambiar información y apoyarse mutuamente	

Pasos siguientes:

Meta 3: Respaldar a las familias en su papel de principales educadores de los niños

Objetivos	Notas (fechar cada anotación)
Animar a las familias a participar en las actividades del programa	
Ofrecerle a las familias estrategias para fomentar el aprendizaje de los niños en casa	

Pasos siguientes:

____

____

____

____

Meta 4: Garantizar que la cultura del hogar de los niños se refleje en el programa	
Objetivos	**Notas (fechar cada anotación)**
Fomentar que los niños hablen el idioma del hogar	
Fomentar el interés y el reconocimiento de las diferentes lenguas habladas en los hogares de los niños del programa	
Buscar el apoyo de las familias para aprender sobre la cultura del hogar	
Incluir objetos y costumbres de la cultura del hogar de los niños en el entorno, la rutina y las actividades del programa	
Relacionarse con los niños de modo que se respete la cultura de sus hogares	

Pasos siguientes:

Listas de verificación de la seguridad y la salud

Seguridad

La finalidad de esta lista de verificación es identificar problemas potenciales y describir las medidas de seguridad que reducirán las posibilidades de que ocurran accidentes. Obtenga duplicados de esta lista y úsela para identificar problemas en su programa y anotar cuando sean corregidos.

Problemas de seguridad: las caídas y lesiones		
Medidas de seguridad	**Se ve bien / No es aplicable**	**Problemas identificados y fecha en que se corrigieron**
Los muebles están en buena condición y los bordes afilados están protegidos con esquineros protectores de bordes.		
En las sillas de los bebés, los coches, los columpios y las sillas para automóviles se emplean cinturones de seguridad.		
Los laterales de las cunas se mantienen levantados y los seguros y aldabas se mantienen asegurados en el lado de salir.		
Las ventanas se abren únicamente desde arriba y cuando están cerradas se mantienen con seguro. Los muebles en que pueden treparse los niños están ubicados lejos de las ventanas.		
Las escaleras y los pasillos se mantienen libres de aglomeración.		
Al comienzo y al final de las escaleras hay puertas de seguridad. Dichas puertas deberán ser, al menos, de tres cuartas partes de la altura de los niños.		
Los juegos de montarse y rodar se utilizan únicamente en superficies planas. Los niños siempre utilizan cascos protectores.		
Los escalones y zonas de caminar se mantienen libres de hielo y nieve.		

Problemas de seguridad: asfixia, estrangulamiento o ahogamiento

Medidas de seguridad	Se ve bien / No es aplicable	Problemas identificados y fecha en que se corrigieron
Siempre que se alimenta a los niños se les sostiene. Los caminadores consumen las comidas y meriendas sentados y se les supervisa.		
Ni los sonajeros ni los chupetes se les cuelgan del cuello a los niños.		
Los esquineros de las cunas no exceden $\frac{1}{16}$ de pulgada para que no se enrede la ropa.		
Los juguetes no están amarrados a las cunas.		
Las cuerdas de las persianas están aseguradas o han sido reemplazadas por rodillos de plástico.		
Las pilas están almacenadas y se botan en áreas fuera del alcance de los niños.		
Los cojines, las cobijas gruesas y los animales de felpa grandes se mantienen fuera de las cunas.		
Los sonajeros y juguetes de apretar se sacan de las cunas cuando los niños duermen.		
Los niños no usan bufandas largas al trepar o saltar.		
Los niños no usan capuchas con cuerdas.		

Problemas de seguridad: incendios, quemaduras, eloctrocutamiento

Las pilas de las alarmas de incendio se revisan mensualmente.		
Las salidas de emergencia se mantienen señalizadas, despejadas y sin seguro desde adentro. Se realizan ensayos de emergencia.		
Los sistemas de calefacción y aire acondicionado se inspeccionan con regularidad. La temperatura del agua es inferior a los 120°F.		
La temperatura del agua en las bañeras y las piscinas de poca profundidad se mantiene entre los 82°F y los 93°F.		
Las tomas eléctricas que no están siendo utilizadas están cubiertas con protectores.		
Los electrodomésticos pequeños se mantienen desconectados si no están siendo utilizados. Los cables eléctricos se mantienen fuera del alcance de los niños.		

Problemas de seguridad: incendios, quemaduras, electrocutamiento (continuación)

Medidas de seguridad	Se ve bien / No es aplicable	Problemas identificados y fecha en que se corrigieron
Los fósforos, encendedores, gasolina y productos de limpieza se almacenan en gabinetes con seguro.		
Los calentadores, chimeneas y radiadores tienen rejillas o puertas de seguridad; la tubería está cubierta o aislada.		
Los deslizadores de metal y otro equipo de juego se cubren en la época de calor cuando no se usan para que no se recalienten.		
Antes de ofrecerse los biberones y la comida se chequea la temperatura. No se emplean los hornos de microondas para calentar los biberones (no se calientan en forma pareja).		
Sólo se emplean las parrillas posteriores y los mangos de las ollas y sartenes se colocan hacia adentro y hacia atrás.		
La comida se prepara o se calienta sin sostener a ningún bebé.		
Los adultos no consumen bebidas calientes mientras cargan a algún bebé o se encuentran de pie cerca a los niños.		

Problemas de seguridad: envenenamiento

Los productos de limpieza, insecticidas, mata-malezas y pintura se mantienen en sus recipientes marcados originales y almacenados en gabinetes con seguro.		
La medicina se mantiene en recipientes a prueba de niños y se almacena en en gabinetes con seguro o en el refrigerador, según lo indiquen las instrucciones.		
Las carteras y maletines de los adultos (en que podría encontrarse objetos peligrosos) se mantienen fuera del alcance de los niños.		
Los recipientes vacíos de los productos de limpieza se enjuagan antes de botarse.		

Problemas de seguridad: cortadas, heridas en los ojos		
Medidas de seguridad	**Se ve bien / No es aplicable**	**Problemas identificados y fecha en que se corrigieron**
Los objetos afilados y cortantes (como los ganchos, agujas, cuchillos y las tijeras para adultos) se mantienen fuera del alcance de los niños.		
Los juguetes y equipo de juego al aire libre se revisan regularmente para verificar que no tengan bordes cortantes y estén libres de astillas.		
Los juguetes se almacenan en anaqueles abiertos y los objetos pesados se colocan en la parte baja.		
Los cajoneros se aseguran con llave.		
Las basureras se mantienen fuera del alcance de los niños.		
El área de juego al aire libre se mantiene libre de vidrio, clavos y desperdicios.		

Problemas de seguridad: la seguridad		
Se supervisa a los niños todo el tiempo, tanto adentro como al aire libre.		
Los niños no llegan ni se marchan del programa por su cuenta.		
Los niños están siempre a la vista en todas las áreas del programa.		
Los reportes de heridas o accidentes se completan oportunamente. De ser lo apropiado, se notifica inmediatamente a las familias.		
Los vehículos utilizados para transportar a los niños se mantienen asegurados cuando no se usan.		

Problemas de seguridad: el transporte		
Los adultos usan cinturones de seguridad y nunca sostienen en su regazo a ningún niño en un automóvil en movimiento.		
Si se transporta en un vehículo a niños con un peso inferior a las 20 libras se les sienta en un cargador con cinturones de seguridad y se les coloca en la banca se atrás, de espaldas y en una posición levemente inclinada.		

Problemas de seguridad: el transporte (continuación)

Medidas de seguridad	Se ve bien / No es aplicable	Problemas identificados y fecha en que se corrigieron
Si se transporta en un vehículo a niños de 20 libras o más de peso (quienes pueden sostenerse sentados) se les sienta y asegura en una silla se seguridad. Dicha silla se adhiere al automóvil con un cinturón de seguridad y se coloca de frente en la banca de atrás.		
Los niños entran y salen de los vehículos solamente por el lado de la acera o en la entrada.		
Solamente los adultos pueden abrochar y desabrochar los cinturones de seguridad de los niños a la hora de dejarlos y recogerlos.		
No se permite que los niños saquen la cabeza, las manos u objetos por las ventanillas de los vehículos.		
Los procedimientos de emergencia y evacuación se practican con los niños.		
Los niños usan una identificación al ser transportados (y al alejarse de la guardería).		
Al caminar por las calles, los niños se agarran de la mano de los adultos.		
En las salidas, se llevan los datos sobre emergencias y el botiquín de primeros auxilios.		

Problemas de seguridad: ahogamiento

Los niños juegan en el agua o cerca de ella únicamente si hay un adulto de pie al lado del agua, no distante.		
Los niños juegan en agua con una profundidad máxima de dos pulgadas.		
Las bañeras portátiles se vacian diariamente y se voltean boca abajo cuando no se usan.		
Las piscinas hondas y las de poca profundidad son cercadas por los cuatro lados y la cerca tiene seguro.		
Siempre que los niños usan el baño u otras instalaciones son supervisados.		

Los procedimientos de emergencia

Cuando se presentan emergencias es útil tener una lista de procedimientos. Se permite la copia de la siguiente tabla. Le recomendamos exhibirla donde los adultos puedan verla y usarla.

Procedimientos de emergencia

1. **Averigüe qué sucedió.** Descubra quién se hizo daño, si el ambiente es seguro y si hay alguien por ahí que pueda ser de ayuda.
2. **Cerciórese de que no haya problemas que amenacen la vida.** Conocidas como el ABC:
   A = abra el paso del aire;
   B = verifique que haya respiración;
   C = cerciórese de que haya circulación (pulso y flujo de sangre).
3. **Si tiene alguna duda sobre la gravedad del problema, llame al servicio médico de emergencias de su localidad: al 911 o una ambulancia.** En situaciones de vida o muerte puede ser aconsejable llamar al servicio de emergencia médica antes de administrar primeros auxilios, de manera que la ambulancia pueda ser despachada y estar en camino mientras usted atiende al niño. Use su buen juicio y sentido común para decidir si las probabilidades de supervivencia del niño son mayores si llama la ambulancia antes o después de administrar los primeros auxilios de emergencia.
4. **Revise si hay heridas comenzando por la cabeza y terminando en los pies.** Usted deberá proporcionar esta información al personal médico.
5. **Reagrúpese. Tranquilice a los demás niños.** Si el niño lesionado necesita su atención, pídale ayuda a algún colega o encargado sustituto.
6. **Localice a los padres o apoderados del niño** lo más rápido posible.
7. **Siga los procedimientos locales para radicar un informe de lesiones o incidentes.** Cerciórese de que las familias obtengan una copia.

Primero que todo, los expertos en seguridad recomiendan lo siguiente:

- **No mueva a un niño que pueda tener una lesión grave en la cabeza, el cuello o la espalda,** a menos que sea para salvarle la vida. El movimiento puede agravar las lesiones.
- **No cause ningún daño.** Daño significa no hacer nada o empeorar las cosas.

Los primeros auxilios

Un botiquín de primeros auxilios deberá contener todo lo que usted pueda necesitar en el caso de presentarse una emergencia. Impóngase como tarea revisar los botiquines de su programa varias veces al año para garantizar que estén bien dotados. Utilice la siguiente lista para este fin.

Botiquín de primeros auxilios

Implementos	Fecha de revisión	Fecha de revisión	Fecha de revisión
Un paquete de monedas de 25 centavos para llamar al doctor o a los padres de familia de un teléfono público			
Copias de las planillas para cada niño de contacto en caso de emergencia: Directorio telefónico para emergencias			
Tarjetas y lapiceros (para escribir las instrucciones o hacer anotaciones para el personal médico)			
Un manual de referencia rápida o una tabla estándar de primeros auxilios.			
Agua			
Un trapo limpio y jabón			
Un vaso de plástico pequeño			
Guantes impermeables desechables			
Una linterna con pilas que funcionen			
Un termómetro (que no sea de vidrio)			
Unas tijeras de punta roma o redondeada			
Unas pinzas			
Tablillas pequeñas de plástico o metal			
Una jeringa con bulbo de caucho de 3 onzas (para enjuagar las heridas y los ojos)			
Vendas flexibles de gaza (una caja de 2x2 y otra de 4x4, esterilizada e inhaderente)			

Botiquín de primeros auxilios (continuación)

Implementos	Fecha de revisión	Fecha de revisión	Fecha de revisión
25 "venditas" o "curitas" de 1" (las corrientes) y 25 más pequeñas mezcladas			
2 vendajes triangulares muslin			
Esparadrapo			
Jarabe de ipecacuana (un frasco de 1 onza), antes de administrarlo consulte un pediatra o el Centro de Control de Envenenamientos. El vómito provocado por el jarabe de ipecacuana puede causar daños serios al esófago, si el niño ha tragado algún veneno como lye o destapador de cañerías.			
Pomada para las picaduras de insectos			
Un *cold pack* o bolsas de plástico para el hielo			
Paños húmedos a base de alcohol			
Ganchos imperdibles			
Suplementos adicionales para atender las necesidades específicas de los niños a su cuidado (por ejemplo, antihistamínicos para los niños con alergias severas; tabletas de glucosa para el niño diabético que pudiera sufrir una disminución de azúcar)			

Los prácticas saludables en la guardería

Mantener sanos a los niños de cero a tres años exige la supervisión constante de su entorno y de sus prácticas. Utilice la siguiente lista de verificación para garantizar que su programa propicie la buena salud y para identificar aquellas prácticas que requieran su atención.

Area de atención: el entorno

Prácticas	Sí, esto lo ponemos en práctica con regularidad	No, esto no lo ponemos en práctica
Todas las superficies se limpian con una solución fresca a base de blanqueador, mezclando ¼ de taza de blanqueador en un galón de agua (o una cucharada de blanqueador en ¼ de galón de agua) según las cantidades recomendadas.		
En los programas sin sistema de aire acondicionado central se abren las ventanas diariamente.		
La temperatura del ambiente se mantiene entre los 65° y los 72°F.		
Si el aire está demasiado seco, utilice un humidificador o vaporizador de aire frío. Se limpian con solución a base de blanqueador, se cambia el agua todos los días y se le añade inhibidor de hongos (No se recomienda el empleo de vaporizadores de aire caliente por ser peligrosos para los niños que se les acercan).		
Si usan aires acondicionados, se limpian semanalmente para impedir la acumulación de polvo y hongos.		
Diariamente se lleva a los niños al aire libre.		
Se evita el uso de productos en aerosol.		
La basura se coloca en basureros de metal o en recipientes de plástico con tapa.		
El área de preparar comida se emplea sólo para eso.		
El refrigerador está ubicado cerca al área de preparar comida. Diariamente ee revisa que esté funcionando y que la temperatura esté a menos de 40°F.		
El área de preparar comida está cerca a una fuente de agua.		
El área de cambiar pañales e ir al baño están cerca a una fuente de agua secundaria.		
Las áreas de dormir están aparte de las demás actividades.		
La ropa y pertenencias personales de cada niño se mantienen separadas para evitar la contaminación.		
Las cunas no se emplean para almacenar objetos cuando los niños no están durmiendo.		
Al caminar en las áreas de juego de los niños se emplean "chanclas" o se recubren los zapatos.		

Area de atención: los juguetes y el equipo de juego		
Prácticas	**Sí, esto lo ponemos en práctica con regularidad**	**No, esto no lo ponemos en práctica**
Diariamente se limpian todos los juguetes de caucho, plástico y madera, las sillas y las mesas de bebés, las mesas de cambiar pañales y los utensilios para comer con una solución a base de blanqueador (1/4 de taza de blanqueador en un galón de agua (o una cucharada de blanqueador en 1/4 de galón de agua) según las cantidades recomendadas.		
Los juguetes que se llevan a la boca se limpian después de cada uso.		
Los juguetes de felpa se lavan semanalmente en lavadora y con más frecuencia si están sucios.		
El cajón de arena al aire libre se cubre en la noche para protegerlo de las heces de animales.		

Area de atención: el cambio del pañal e ir al baño		
El área de cambiar pañales sólo se emplea para cambiar pañales.		
La superficie de cambiar pañales está, al menos, a 3 pies de altura del suelo (para evitar la propagación de enfermedades infecciosas)		
Se ha verificado que la superficie de cambiar los pañales no sea porosa (por ejemplo: de plástico y sin rotos ni razgaduras).		
La superficie de cambiar pañales se limpia con una solución a base de blanqueador después de cada uso.		
Conforme a las políticas del programa se usan guantes desechables de plástico.		
Se coloca papel limpio debajo del trasero de los pequeños, de manera que el cuerpo no toca la superficie de cambiar los pañales directamente.		
Para reducir las irritaciones de la piel se usan pañales desechables. Los pañales de tela se usan con protector impermeable que se abre adelante y se puede cambiar después de cada uso.		
Los pañales usados se depositan en bolsas plásticas y se colocan en basureras con tapa, pedal y forradas por dentro con plástico.		
La ropa sucia se coloca en bolsas de plástico y se almacena aparte de las demás pertenencias de los niños; las bolsas se envían a casa con los padres al finalizar el día.		

Area de atención: el cambio del pañal e ir al baño (continuación)

Prácticas	Sí, esto lo ponemos en práctica con regularidad	No, esto no lo ponemos en práctica
Las zonas urinaria y anal de los pequeños se limpian con paños húmedos desechables o con toallas de papel, agua y jabón. Para reducir las infecciones urinarias, se limpia a los niños de adelante hacia atrás.		
Las cremas y lociones se aplican únicamente con la autorización de los padres. Los productos se marcan con el nombre del niño y no se le aplican a nadie más. Se evita el uso de talcos por ser peligrosos para los pulmones infantiles.		
Después de cada cambio de pañal se lavan las manos propias y de los niños.		
Se mantienen registros de cada cambio de pañal y cuando se ensució.		
Los inodoros portátiles se ubican en lugares aparte de las áreas de cocinar, comer y jugar.		
Se acompaña a todos los niños al baño.		
Se ha verificado que haya al menos un lavamanos y un inodoro por cada 10 caminadores. En los centros se ha verificado que sean de tamaño infantil (los inodoros de un máximo de 11" y los lavamanos de 22"). Si no se cuenta con equipo de tamaño infantil, se usan sillas de inodoros modificadas y escalones de ayuda.		
El baño se desinfecta diariamente con una solución a base de blanqueador y tantas veces como se requiera si se contamina con heces o vómito. Se mantiene bien dotado de paños húmedos desechables, papel higiénico, toallas de papel y jabón.		
Si en el programa se usan inodoros portátiles, el contenido se arroja al inodoro corriente y el portátil se enjuaga en un lavadero utilizado exclusivamente para tal fin, se lava con agua y jabón y se seca con toallas de papel (el agua también se arroja al inodoro corriente), se desinfecta con una solución a base de blanqueador y se deja secar. (Los inodoros portátiles se recomiendan únicamente si su programa cuenta con un lavadero adicional).		
Se ha verificado que en el área de cambiar pañales, al menos uno de los recipientes basureros para botar los pañales usados sea de tapa operada con pedal. Los basureros se vacian diariamente y se desinfectan con una solución a base de blanqueador.		
Se lavan las manos cada vez que se utiliza el inodoro o se cambia un pañal. Los caminadores deben lavarse las manos cada vez que se utiliza el inodoro. Las manos se secan con toallas de papel. El grifo se cierra usando la toalla. Se usa crema de manos para evitar la resequedad de la piel.		

Area de atención: la higiene personal		
Prácticas	**Sí, esto lo ponemos en práctica con regularidad**	**No, esto no lo ponemos en práctica**
Se lavan las manos y se aplica crema de manos antes y después de cada tarea (por ejemplo: antes y después de manejar alimentos; asistir a un niño enfermo; llegar a la guardería; antes de administrarle medicina o tomarle la temperatura a a un niño; después de estornudar, toser o sonarse la nariz; de tocarse la cara o el cabello; de tocar dinero o a alguna mascota; y después de usar el inodoro o de cambiar un pañal).		
Para secarse las manos se utilizan toallas desechables. Se recomienda no reutilizar las toallas.		
Al sostener a un bebé se coloca sobre el hombro un trapo, una toalla limpia o un pañal. Los trapos para los hombros no se reutilizan.		
Los cepillos de dientes de los niños están marcados con el nombre y no se les permite compartirlos. Los cepillos de dientes se almacenan cerdas arriba y se reemplazan cada tres meses.		
Los cepillos de dientes, las peinillas y artículos personales de cada niño se almacenan aparte.		

Area de atención: el sueño y el descanso		
A todo niño que pase más de 4 horas en cuidado infantil se le ha asignado su propia cuna, cama, colchoneta o catre.		
Las cunas se han ubicado distantes de los calentadores, corrientes de aire, cortinas o persianas y cuerdas.		
Las cunas y catres se han separado entre sí al menos tres pies para evitar la propagación de gérmenes (a menos que usted use separadores de plexiglas).		
En las colchonetas y catres se utilizan cubiertas impermeables.		
Se coloca a los niños alternando su ubicación (la cabeza de uno frente a los pies del siguiente y así sucesivamente) para reducir la propagación de gérmenes.		
Los niños se colocan en las cunas boca arriba para prevenir el Síndrome de Muerte Infantil Súbita (*SIDS*).		
Cad a niño utiliza sus propias sábanas. Las sábanas se mandan semanalmente a cada casa para ser lavadas, o antes si están sucias.		
Los colchones de las cunas y los catres se limpian semanalmente y si están sucios o los utiliza otro niño.		

Area de atención: el sueño y el descanso (continuación)		
Prácticas	**Sí, esto lo ponemos en práctica con regularidad**	**No, esto no lo ponemos en práctica**
Se evita usar productos de origen animal como ropa de cama. La lana y las plumas pueden provocar reacciones alérgicas, lo mejor es usar algodón.		
Para reducir la posibilidad de asfixia o de SIDS se evita usar cojines, cobijas de plumas y *bumper guards* en las cunas.		
Se evitan los gimnasios para las cunas cuando los bebés comienzan a incorporarse.		

Area de atención: la alimentación y el comer		
Se ha verificado que haya disponibles utensilios individuales para la alimentación de cada niño y que cada uno de ellos use sus propios biberones, tazas, platos y utensilios.		
Se ha pegado a la vista la información sobre las alergias a ciertos alimentos y las necesidades nutricionales especiales en el área de preparación y consumo de alimentos.		
La comida traida de los hogares se rotula y fecha y la comida perecedera (como la leche expressed) se almacena en el refrigerador o el congelador.		
La leche en polvo se prepara según las instrucciones escritas de los padres o de los profesionales de la salud y se almacena en el refrigerador hasta ser usada. Toda porción no utilizada se bota en un límite de 48 horas. Una vez que un niño ha terminado de comer, lo que queda en el biberón no se guarda para dárselo más tarde.		
A los bebés que toman biberón se les sostiene, no se les entrega o apoya el biberón.		
A los bebés se les comienza a ofrecer alimentos semisólidos (como cereal de arroz) entre los 4 y los 6 meses, o según la recomendación de un profesional de la salud. Antes de ofrecer cualquier otro alimento nuevo se les "mira y observa" por un período de 5 días.		
El alimento de los bebés se sirve en tazas en lugar de alimentárseles directamente del frasco por ser antihigiénico.		
A los bebés se les comienza a ofrecer alimentos sólidos como frutas y vegetales entre los 6 y los 8 meses de edad, o según la recomendación de un profesional de la salud. Antes de ofrecer cualquier otro alimento nuevo se les "mira y observa" por un período de 5 días. Los alimentos a base de trigo se les comienzan a ofrecer a partir de los 7 meses porque muchos bebés menores son alérgicos.		

Area de atención: la alimentación y el comer (continuación)		
Prácticas	**Sí, esto lo ponemos en práctica con regularidad**	**No, esto no lo ponemos en práctica**
A los bebés se les comienza a ofrecer alimentos con grumos entre los 8 y los 9 meses de edad, o según la recomendación de un profesional de la salud. Cada alimento se presenta por separado. Antes de ofrecer cualquier otro alimento nuevo se les "mira y observa" por un período de 5 días.		
A los niños que consumen alimentos con sus dedos y a quienes se les sirve en la mesa, se les sirven comidas completas. Se les anima a comer los alimentos de su escogencia.		
A los bebés se les comienza a ofrecer leche de vaca a los 12 meses de edad, o según la recomendación de un profesional de la salud. La leche descremada o con poca grasa no se ofrece antes de los 24 meses (o después, si así se indica) porque los bebés necesitan las calorías adicionales y los contenidos de la leche entera para el desarrollo de los huesos, los dientes, los nervios, y el cerebro.		
Se mantiene un registro de la hora, tipo de alimentación y, para los bebés, de la cantidad de alimentos consumidos.		

Area de atención: el manejo de enfermedades		
Se ha verificado que haya en práctica políticas relativas a la exclusión de los niños y el personal, los requisitos para el aislamiento, la administración de medicamentos, los contactos en caso de emergencia y el cuidado a largo plazo.		
Cada niño se chequea diariamente para detectar cualquiera de las siguientes señales o indicios de enfermedades: tos fuerte, dificultad para respirar, ronquera o dolor de garganta, ojos o piel amarillentos, enrojecimiento de los ojos(lagrimosos, rojos o con pus), sectores de la piel infectados, náusea o vómito, diarrea, pérdida del apetito, erupciones o salpullido, piojos, picaduras de insectos con pus, golpes y comportamientos fuera de lo común.		
A los niños enfermos se les envía a casa hasta que estén en condiciones de participar en actividades y hasta que ya no se les considere contagiosos.		
Si un niño enfermo necesita ser enviado a casa, se le proporciona un lugar cómodo y tranquilo para descansar y se le supervisa constantemente hasta que lleguen los padres o apoderados.		
Las manos se lavan después de asistir a un niño enfermo.		

Area de atención: el manejo de enfermedades (continuación)		
Prácticas	**Sí, esto lo ponemos en práctica con regularidad**	**No, esto no lo ponemos en práctica**
La cuna o catre utilizado por un niño enfermo se lava y desinfecta y se lavan las sábanas.		
Tan pronto como sea posible, se le envía una nota escrita a las familias de los niños expuestos a enfermedades transmisibles de manera que las familias puedan vigilar los síntomas.		
Los medicamentos prescritos y no prescritos se administran solamente después de recibir entrenamiento y conforme a las instrucciones escritas por los padres o por un profesional de la salud. La medicina se mantiene en los recipientes originales a prueba de niños, en los que se especifican el horario, la dosis, la manera y la duración del tratamiento. Se mantiene un registro de la hora y la cantidad administrada. Los medicamentos se mantienen fuera del alcance de los niños.		
A la hora de manejar sangre se aplican las precauciones universales que incluyen usar guantes desechables impermeables al entrar en contacto con sangre o secreciones del cuerpo que contengan sangre. Inmediatamente después de dicho contacto se botan los guantes y se lavan las manos con jabón. Las superficies contaminadas con sangre y los trapeadores usados para limpiar se desinfectan con solución a base de blanqueador.		

Recursos de intervención

Contactos del directorio central de servicios, recursos y expertos en intervención temprana

Disponibles en los estados y jurisdicciones que participan en el programa Parte C*

Alabama
Department of Rehabilitation Services
Division of Early Intervention
2129 East South Boulevard
PO Box 11586
Montgomery, AL 36111-0586
(800) 543-3098 (voice/TDD)

Alaska
Alaskans Information Line
The AKINFO Network
United Way of Alaska
1057 West Fireweed Lane, Suite 101
Anchorage, AK 99503-1736
(800) 478-2221
(voice/TDD, AK only)
http://www.ak.org

American Samoa
Part C Program
Department of Health
Government of American Samoa
Pago Pago, AS 96799
(684) 633-4929 or 2697

Arizona
Children's Information Center
Department of Health Services
1740 West Avenue, Room 200
Phoenix, AZ 85008
(800) 232-1676
(voice/TDD, AZ only)

Arkansas
Division of Developmental Disabilities
Department of Human Services
PO Box 1437, Slot 2520
Little Rock, AR 72203-1437
(800) 643-8258 (voice/TDD)

California
Department of Developmental Services
Prevention and Children Services Branch
Early Start Program
1600 9th Street, Room 310
Sacramento, CA 95814
(800) 515-BABY (voice, CA only)
(916) 654-2054 (TDD)
http://www.dds.cahwnet.gov/services.htm

Colorado
Special Education Division
Department of Education
201 East Colfax, Room 305
Denver, CO 80203
(800) 288-3444
(voice/TDD, CO only)
http://www.dooronline.org

Commonwealth of Northern Mariana Islands
Early Childhood/Special Education Programs
CNMI Public School System
PO Box 1370 CK
Saipan, MP 96950
(670) 322-9956

Connecticut
Birth to Three INFOLINE
United Way of Connecticut
1344 Silas Deane Highway
Rocky Hill, CT 06067
(800) 505-7000
(voice/TDD, CT only)
http://www.birth23.org

Delaware
Birth to Three Early Intervention System
Department of Health and Social Services
1901 North DuPont Highway
New Castle, DE 19720
(800) 464-4357
(voice/TDD, Helpline I&R, DE only)
(800) 273-9500
(voice/TDD, Helpline I&R, outside DE)

District of Columbia
DC EIP Services
Office of Early Childhood Development
609 H Street NE
Washington, DC 20002
(202) 727-8300 (voice, ChildFind)
(202) 727-2114 (TDD)

Florida
Directory of Early Childhood Services
2807 Remington Green Circle
Tallahassee, FL 32308
(850) 921-5444 (voice/TDD)
(800) 654-4440 (voice)
http://www.centraldirectory.org

* Esta lista fue compilada por la *National Early Childhood Technical Assistance System (NEC*TAS)*. Debido a que esta información cambia con frecuencia, para obtener información actualizada se recomienda a los lectores remitirse a:http://www.nectas.unc.edu/. *NEC*TAS* es auspiciado mediante acuerdo cooperado (número H024A60001) con la Oficina de Programas de Educación Especial del Departamento de Educación de los Estados Unidos. Para obtener información adicional sobre *NEC*TAS* y los recursos que ofrece diríjase a: NEC*TAS, 137 East Franklin Street, Suite 500, Chapel Hill, NC 27514; (919) 962-2001 (voz); (919) 966-4041 (TDD); (919) 966-7463 (fax); E-mail:nectas@unc.edu; sede en la Red: http://www.nectas.unc.edu/.

Georgia
Babies Can't Wait Directory
Parent-to-Parent of Georgia, Inc.
2900 Woodcock Boulevard, Suite 240
Atlanta, GA 30341
(800) 229-2038
(voice/TDD, GA only)
info@parentotparentofga.org
http://www.parenttoparentofga.org

Guam
Department of Education
Division of Special Education
PO Box DE
Agana, GU 96932
(617) 475-0549

Hawaii
H-KISS
Zero to Three Hawaii Project
1600 Kapiolani Boulevard, Suite 1401
Honolulu, HI 96814
(808) 955-7273
(voice/TDD, Oahu only)
(800) 235-5477
(voice/TDD, other islands)

Idaho
Idaho CareLine
Idaho Infant/Toddler Program
450 West State Street
Boise, ID 83720-0036
(800) 926-2588
(English voice, ID only)
(800) 677-1848
(Spanish voice, ID only)
(208) 332-7205 (TDD)

Illinois
Help Me Grow Hotline
Department of Human Services
2501 North Dirksen Parkway
Springfield, IL 62702
(800) 323-4769 (voice, IL only)
(800) 547-0466 (TDD)

Indiana
Indiana Parent Information Network
4755 Kingsway Drive, Suite 105
Indianapolis, IN 46205
(800) 964-IPIN (voice/TDD, IN only)
ipin@indy.net

Iowa
Iowa COMPASS
Information and Referral for Iowans with Disabilities and Their Families
University Hospital School
100 Hawkins Drive, Room S277
Iowa City, IA 52242-1011
l (800) 779-2001 (voice/TDD)
(319) 353-8777 (voice/TDD)
iowa-compass@uiowa.edu
http://www.medicine.uiowa.edu/iowacompass/

Kansas
Make a Difference Information Network
Department of Health and Environment
900 Southwest Jackson, LSOB,10th Floor
Topeka, KS 66612-1290
(800) 332-6262
(voice/TDD, KS only)

Kentucky
First Steps, Kentucky's Early Intervention System
275 East Main Street
Frankfort, KY 40621
(800) 442-0087 (voice)
(800) 648-6057 (TDD)
http://www.iglou.com/katsnet/first_steps/home.htm

Louisiana
ChildNet Information and Referral
Disabilities Information Access Line (DIAL)
Developmental Disabilities Council
PO Box 3455
Baton Rouge, LA 70821-3455
(800) 922-DIAL (voice)
(800) 256-1633 (TDD)

Maine
Child Development Services
State House Station #146
Augusta, ME 04333
(207) 287-3272 (voice)
(207) 287-2550 (TDD)

Maryland
Maryland Infants and Toddlers Program
Division of Special Education
Department of Education
200 West Baltimore Street, 4th Floor
Baltimore, MD 21201
(800) 535-0182 (voice, MD only)
(800) 735-2258 (TDD)

Massachusetts
Family TIES of Massachusetts
Department of Public Health
250 Washington Street, 4th Floor, DCSHCN
Boston, MA 02108-4619
(800) 905-TIES (voice, MA only)
(617) 624-5992 (TDD)
division.cshcn@state.ma.us

Michigan
Early On
Michigan 4C Association
2875 Northwind Drive, Suite 200
East Lansing, MI 48823
Intake: (800) EARLY-ON (voice/TDD)
earlyon@earlyon-mi.org
http://www.earlyon-mi.org

Minnesota
Children with Special Health Needs
Division of Family Health
Department of Health
85 East 7th Place, #400
Minneapolis, MN 55101
(800) 728-5420 (voice/TDD, MN only)
http://www.health.state.mn.us/divs/fh/mcshn/iandr.htm

Mississippi
First Steps Early Intervention Program
Department of Health
2423 North State Street
PO Box 1700
Jackson, MS 39215-1700
(800) 451-3903 (voice, MS only)

Missouri
Early Childhood Special Education Section
Department of Elementary and Secondary Education
PO Box 480
Jefferson City, MO 65102-0480
(573) 751-0187 (voice)
(800) 735-2966 (TDD)

Montana
Parents Let's Unite for Kids (PLUK)
516 North 32nd Street
Billings, MT 59101-6003
(800) 222-7585
(voice/TDD, MT only)
plukmt@aol.com
http://www.pluk.org

Nebraska
ChildFind Information and Referral for Children and Their Families Assistive Technology Project
Department of Education
301 Centennial Mall South
PO Box 94987
Lincoln, NE 68509-4987
(800) 742-7594 (voice/TDD, NE only)
atp@nde4.nde.state.ne.us
http://www.nde.state.ne.us/ATP/TECHome.html

Nevada
Project ASSIST
Nevada Early Childhood Association for Special Children
PO Box 70247
Reno, NV 89570-0247
(800) 522-0066 (voice, NV only)
(775) 688-2818 (TDD)

New Hampshire
Family Resource Connection
New Hampshire State Library
20 Park Street
Concord, NH 03301
(800) 298-4321 (voice, NH only)
(800) 735-2964 (TDD)
http://www.state.nh.us/nhsl/frc

New Jersey
Resources
Developmental Disabilities Council
PO Box 700
20 West State Street
Trenton, NJ 08625-0700
(800) 792-8858 (voice)
(609) 777-3238 (TDD)

New Mexico
Information Center for New Mexicans with Disabilities/Babynet
435 Saint Michael's Drive, Building D
Santa Fe, NM 87505
(800) 552-8195 (voice/TDD, NM only)

New York
Office of Advocate for Persons with Disablities
One Empire State Plaza, Suite 1001
Albany, NY 12223-1150
(800) 522-4369 (voice/TDD, NY only)
information@oapwd.state.ny.us
http://www.state.ny.us/disabledadvocate

North Carolina

Family Support Network of North Carolina
University of North Carolina, CB#7340
Chapel Hill, NC 27599-7340
(800) 852-0042 (voice/TDD)
http://www.med.unc.edu/commedu/familysu

North Dakota

Developmental Disabilities Unit
Department of Human Services
600 South 2nd Street, Suite 1A
Bismarck, ND 58504-5729
(800) 755-8529 (voice/TDD, ND only)

Ohio

Help-Me-Grow Helpline
Department of Health
246 North High Street
Columbus, OH 43215
(800) 755-GROW (voice/TDD, OH only)

Oklahoma

Oklahoma Areawide Services Information System (OASIS)
Oklahoma University Health Sciences Center
4545 North Lincoln Boulevard, Suite 284
Oklahoma City, OK 73105-3414
(800) 426-2747 (voice/TDD)
oasisok@juno.com
http://oasis.ouhsc.edu

Oregon

Office of Special Education
Department of Education
225 Capitol Street NE
Salem, OR 97310
(503) 378-3598, ext. 651
(voice, TDD available upon request)

Republic of Palau

Special Education
Department of Education
PO Box 189
Koror, PW 96940
(680) 488-2537

Pennsylvania

CONNECT Information Service
150 South Progress Avenue
Harrisburg, PA 17109
(800) 692-7288 (voice/TDD, PA only)
connect@southstar.org

Puerto Rico

Primeros Pasos
Programa de Intervención Temprana
División de Servicios de Habilitación
Secretaría Auxiliar de Promoción y Protección de la Salud
Departamento de Salud
PO Box 70184
San Juan, PR 00936-8184
(787) 763-4665
(800) 981-8492

Rhode Island

Rhode Island Parent Information Network (RIPIN)
175 Main Street
Pawtucket, RI 02860-6260
(800) 464-3399 (voice, RI only)
(401) 727-4151 (TDD)

South Carolina

BabyNet Central Directory
South Carolina Services Information System (SCSIS)
Center for Disability Resources
University of South Carolina School of Medicine
Columbia, SC 29208
(800) 922-1107 (voice/TDD)
http://www.cdd.sc.edu/scsis

South Dakota

Office of Special Education
Department of Education and Cultural Affairs
700 Governors Drive
Pierre, SD 57501
(800) 529-5000 (voice/TDD, SD only)

Tennessee

Division for Special Education
Department of Education
710 James Robertson Parkway
Nashville, TN 37243-0380
(800) 852-7157 (voice, TN only)

Texas

Early Childhood Intervention (ECI) Program
ECI Care Line
4900 North Lamar
Austin, TX 78751-2399
(800) 250-2246 (voice)
(800) 735-2989 (TDD)
http://www.eci.state.tx.us/

Utah

Access Utah Network
555 East 300 South, Suite 201
Salt Lake City, UT 84102
(800) 333-UTAH (voice/TDD)
accessut@state.ut.us
http://www.accessut.state.ut.us

Vermont

Agency of Human Services
Department of Health
Children with Special Health Needs
PO Box 70
Burlington, VT 05402
(802) 863-7338 (voice/TDD)
(800) 660-4427
(voice/TDD, VT only)

Virgin Islands

Guide to Services for the Disabled in the USVI
Infant and Toddler Program
Department of Health
Elaine Co Complex
St. Thomas, VI 00803
(809) 777-8804 (voice)

Virginia

Babies Can't Wait—First Steps
United Way Information and Referral Center
224 East Broad Street
PO Box 12209
Richmond, VA 23241-0209
(800) 234-1448 (voice/TDD)

Washington

Healthy Mothers, Healthy Babies Coalition of Washington
300 Elliott Avenue West, Suite 300
Seattle, WA 98119-4118
(800) 322-2588 (voice/TDD, WA only)
(800) 833-6388 (TDD)

West Virginia

Family Matters
PO Box 1831
Clarksburg, WV 26302-1831
(888) 983-2645 (voice/TDD)
wvfamily@msys.net
http://www.msys.net/wvfamily

Wisconsin

First Step
Lutheran Hospital-Lacrosse
1910 South Avenue
Lacrosse, WI 54601
(800) 642-7837 (voice/TDD)

Wyoming

Governor's Planning Council on Developmental Disabilities
122 West 25th Street
Herschler Building, 1st Floor West
Cheyenne, WY 82002
(800) 438-5791 (voice/TDD)
http://wind.uwyo.edu/pathways/index.htm

Glosario

El siguiente glosario tiene como finalidad aclararle a los lectores el uso que se hace de algunos términos en esta traducción. Dado que las comunidades de habla hispana utilizan distintos vocablos para referirse a lo mismo, a causa de las diferencias regionales y culturales, se ha intentado servir a la mayoría usando términos comunes y excluyendo regionalismos y expresiones de uso exclusivo en ciertos países.

accesorios: objetos y materiales reales empleados en el juego representativo.

apego: sentimiento que desarrollan los niños por los adultos importantes en su vida.

apoderado: se llama así a todo representante legal diferente a los padres de un niño.

aprestamiento: preparar o disponer a una persona para un fin como leer y escribir.

"Aqui estoy": es nuestra adaptación del juego *peek-a-boo* tan popular con los pequeños y que consiste en "desaparecer" o esconder el rostro tras un objeto o las manos y, luego, reaparecer.

autonomía: se refiere a la capacidad, cada vez mayor, que tienen los niños de hacer lo que necesitan sin ayuda de los adultos y que emprenden por iniciativa propia, es decir, de manera independiente.

bebés: niños desde el nacimiento hasta que comienzan a gatear (aproximadamente a los ocho meses de edad).

caminadores: niños de los 18 a los 36 meses de edad.

caminador adaptable: aparato con que pueden desplazarse los niños con impedimentos físicos.

centros de cuidado infantil: se denominan así las guarderías ubicadas en lugares distintos a las casas de familia como los centros educativos.

comportamiento: designa la conducta o manera de actuar y comportarse los niños.

cooperación: aclaración de las responsabilidades mutuas entre los encargados-maestros y las familias de los pequeños.

cuento o historia: en esta traducción se ha alternado el uso de ambos términos dado que la estructura básica del cuento —principio, desarrollo y desenlace— es la condición necesaria de cualquier historia.

culinaria: es el arte de la cocina. Por ende, las actividades de preparar comida con los niños, son actividades culinarias.

degustación: acción de probar alimentos.

desarrollo: se refiere a las etapas que atraviesan los niños en su crecimiento, así como a las destrezas y capacidades que adquieren y refinan.

destete: momento en que se le suprime a un niño la leche materna.

destreza: propiedad con que algo se lleva a cabo. Por tratarse del desarrollo infantil, nos referimos a las mismas como las habilidades que los niños ponen en práctica al tiempo que las adquieren y refinan. Tal como se explica en *El Currículo Creativo*, los niños exploran los objetos, los manipulan, se sienten desafiados y, al lograr dominarlos, adquieren —entre otras cosas— confianza en sí mismos, sentido de capacidad y autoestima.

destrezas lingüísticas y lecto-escriturales: la capacidad infantil de usar las palabras para comunicarse oralmente y, más adelante, por escrito.

dieta: régimen de comidas que los niños han de guardar, principalmente por motivo de enfermedad.

encargado-maestro: persona a cargo del cuidado y la educación infantil en la temprana infancia. Hay dos tipos: principal, quien construye vínculos estrechos con un número reducido de niños y familias, y sustituto o de reserva.

entorno: específicamente significa aquello que nos rodea. En educación infantil, se refiere al espacio o ambiente en que tiene lugar el cuidado y el aprendizaje. Por consiguiente, en esta traducción se usa como sinónimo de ambiente y espacio, y se alterna con los espacios interior o adentro y espacio exterior o al aire libre.

esparadrapo: tela adhesiva de tela o plástico que se emplea para sujetar vendajes.

exploración sensorial: se designa así la táctica empleada por los niños para conocer el mundo que los rodea ya que se realiza mediante los sentidos de la vista, oído, tacto, gusto y olfato.

gateadores: niños entre los 8 y los 18 meses de edad.

garabateadores de cera: se le llamó así a las figurillas de cera horneadas, producidas con restos de crayolas, para que los niños garabateen.

guarderías en hogares: programas de cuidado infantil establecidos en casas de familia.

guisantes: semilla que se consume hervida, sola o como güarnición de carnes y pescados. Su nombre cambia en los distintos países hispanos y se les llama arvejas, alverjas, chícharos o gandules.

impedimentos: obstáculos físicos o mentales que pueden sufrir algunos de los niños con quienes trabaja en el programa. Se ha evitado el uso de "incapacidad" y "discapacidad" por considerarse que transmiten la noción de imposibilidad de progreso; contraria a la filosofía *El Currículo Creativo*.

individualización: cuidado recibido por cada niño según sus necesidades, intereses y estilo de aprendizaje y que se logra principalmente mediante la observación.

inodoro portátil: artefacto de plástico (*potty chair*) con el cual los niños pequeños aprenden a ir al baño y usar el inodoro.

juego: al participar en actividades se les facilita a los niños avanzar a través de todas las etapas del desarrollo, al tiempo que se fomenta el aprendizaje. Tal como se describe en este libro, los niños juegan primero en forma *funcional* (explorando), luego *constructiva* (manipulando objetos y juguetes), *imitativa* (imitando o asumiendo los roles de los adultos) y, más adelante, *representativa*, dramática, simbólica e imaginaria (recreando situaciones vividas previamente).

juego representativo: como el nombre mismo lo indica, es el juego en que los niños representan a otras personas o situaciones. En esta traducción se ha alternado dicho uso con juego dramático, de roles, simbólico, imaginario o hacer de cuenta.

leche en polvo: designa la leche que se adquiere en tarros (*formula*) y que se utiliza en reemplazo de la la leche materna.

lengua materna: se le llama así a la lengua del hogar o primera lengua de los niños.

motricidad: designa toda actividad del sistema nervioso central que determina la contracción muscular. Tal como se explica en el *Currículo*, los niños desarrollan primero la *gruesa* (que involucra los músculos grandes) y, luego, la *fina* (que involucra los músculos pequeños).

muestreo: técnica de selección y registro de momentos o acontecimientos con el fin de individualizar el trabajo con los niños.

niños de cero a tres años: se ha empleado para referirse a las etapas de los niños del nacimiento a 8 meses (*bebés*), de 8 a 18 meses (*gateadores*) y de18 meses a tres años (*caminadores*).

observación: método con el que se garantiza el reconocimiento de las necesidades, intereses y estilo de aprendizaje de cada niño, una vez se centra en ellos la atención.

patrones de desarrollo: designa la manera en que, por lo general, tiene lugar el desarrollo emocional, social, físico y cognoscitivo según la edad de los niños.

planificación: planeación detallada de actividades, rutinas, planes, objetivos, etc.

pintar con los dedos: se denomina así a pintar sin herramientas como pinceles o crayolas, es decir, utilizando pintura directamente.

proporciones bajas adulto-niños: número de niños atendidos por cada adulto.

rabieta: brabata, berrinche o pataleta que hace un niño para obtener lo que desea.

respiración artificial: designa la respiración boca a boca dada en caso de emergencia por un adulto a un niño.

salpullido: quemadura de la piel producida generalmente por la orina retenida en el pañal si no se cambia a los niños con frecuencia (*rash*).

sarampión: enfermedad infecciosa y contagiosa frecuente en la infancia caracterizada por la aparición de muchos granos y manchas rojas en la piel y picor intenso (*measles*).

sentido del yo: designa el reconocimiento de la identidad propia.

sentido de capacidad: se refiere a la noción de límite de las destrezas propias adquirida por los niños al involucrarse en juegos y actividades.

Síndrome de Muerte Infantil Súbita (*SIDS*): muerte que ocurre en la temprana infancia, por lo general durante el sueño.

sintonía: los especialistas designan así la receptividad de los adultos a las necesidades de los niños.

socios: término dado a los padres y encargados-maestros que trabajan conjuntamente para fomentar y fortalecer el progreso y el desarrollo infantil.

tambores caribeños: tambores de metal, generalmente de canecas que producen un sonido característico de los ritmos antillanos como el Calipso (*Steel drums*).

tosferina: enfermedad infecciosa que produce una tos muy intensa *(pertussin)*.

varicela: enfermedad viral benigna que afecta sobre todo a los niños, que produce fiebre alta y vesículas en la piel *(chicken pox)* .

❖ Notas ❖

❖ Notas ❖

❖ Notas ❖